EL BARCO
DE VAPOR

¡Hay un chico
en el baño de las chicas!

Louis Sachar

Ilustraciones de Puño

8/18
sm $16

LITERATURA**SM**•COM

Primera edición: septiembre de 2003
Vigésima quinta edición: marzo de 2018

Gerencia editorial: Gabriel Brandariz
Coordinación editorial: Carolina Pérez
Coordinación gráfica: Lara Peces

Título original: *There's a Boy in the Girls' Bathroom*
Traducción del inglés: Paz Barroso

© del texto: Louis Sachar, 1987
© de las ilustraciones: David Peña Toribio (Puño), 2016
© Ediciones SM, 2016
    Impresores, 2
    Parque Empresarial Prado del Espino
    28660 Boadilla del Monte (Madrid)
    www.grupo-sm.com

ATENCIÓN AL CLIENTE
Tel.: 902 121 323 / 912 080 403
e-mail: clientes@grupo-sm.com

ISBN: 978-84-675-8931-3
Depósito legal: M-9001-2016
Impreso en la UE / *Printed in EU*

Para Carla.

1

Bradley Chalkers se sentaba al fondo de la clase, en el último pupitre de la última fila. En el pupitre de al lado no se sentaba nadie; en el de delante tampoco. Era una isla.

Lo que de verdad le hubiera gustado a Bradley era meterse en el armario. Allí podría cerrar las puertas y no oír a la señorita Ebbel. Bradley pensaba que a ella no le importaría mucho; es más, quizá lo preferiría. Y el resto de la clase también. En resumidas cuentas, todos estarían mucho más contentos si metiera su pupitre en el armario; lo malo es que no cabía.

–Chicos –dijo la señorita Ebbel–, quiero presentaros a Jeff Fishkin. Jeff se ha trasladado recientemente a nuestra ciudad. Antes vivía en Washington D. C. que, como sabéis, es la capital de nuestra nación.

Bradley levantó la vista para observar al nuevo, de pie junto a la señorita Ebbel.

–Jeff, ¿por qué no les cuentas algo de tu vida a tus compañeros? –le sugirió la señorita Ebbel.

El nuevo se encogió de hombros.

–Vamos –le animó la señorita Ebbel–, no seas tímido.

El chico nuevo farfulló algo, pero Bradley no logró descifrar qué había dicho.

–¿Has estado alguna vez en la Casa Blanca, Jeff? –le preguntó la señorita Ebbel–. Estoy segura de que a tus compañeros les interesaría mucho esa experiencia.

–No. No he estado nunca –respondió el nuevo hablando atropelladamente mientras negaba con la cabeza.

–Bueno –le sonrió la señorita Ebbel–, creo que lo mejor es que te busquemos un sitio –añadió mientras miraba por toda la clase–. Vaya, no veo ningún pupitre libre salvo el del fondo. Te puedes sentar allí, en la última fila.

–¡No! ¡Al lado de Bradley, no! –chilló una niña de la primera fila.

–Mejor al lado que delante –puntualizó el niño que se sentaba a su lado.

La señorita Ebbel frunció el ceño.

–Lo siento, Jeff –se excusó–. No hay más mesas libres.

–No me importa –farfulló Jeff.

–Bueno, es que a nadie le gusta sentarse… allí –explicó la señorita Ebbel.

–¿Te has enterado? A nadie le gusta sentarse a mi lado –intervino Bradley poniendo una sonrisa extraña. Tenía los labios tan tensos que era difícil saber si realmente sonreía o era una mueca de disgusto.

Bradley miró fijamente a Jeff con ojos que parecían querer salirse de sus órbitas mientras este tomaba asiento a su lado sintiéndose visiblemente incómodo. Cuando Jeff le sonrió, Bradley apartó la vista.

En cuanto la señorita Ebbel empezó la clase, Bradley sacó un lápiz y una hoja de papel y comenzó a emborronarla. Así se pasaba la mayor parte de las mañanas, garabateando a ratos sobre hojas de papel y a ratos sobre su pupitre. A veces hacía tanta fuerza con el lápiz que rompía la punta. Y cada vez que rompía la punta, soltaba una carcajada. Luego cogía la punta rota, la unía con cinta adhesiva a uno de los montoncillos de basura que guardaba en su pupitre, sacaba punta al lápiz y volvía a la carga.

Su pupitre estaba repleto de montoncitos de papeles rotos, trozos de mina de lápiz, gomas de borrar mordidas y otros objetos no identificados unidos con cinta adhesiva.

La señorita Ebbel repartió entre sus alumnos el control de lengua que había corregido.

–La mayoría lo ha hecho bastante bien –afirmó–. Estoy satisfecha de vuestros resultados: catorce sobresalientes y todos los demás, notables. Bueno, menos un insuficiente, claro... –añadió encogiéndose de hombros.

Bradley agitó en alto su hoja para que todo el mundo viera que se refería al suyo y puso de nuevo la misma sonrisa extraña.

Mientras la señorita Ebbel comentaba las respuestas, Bradley cogió unas tijeras y se dedicó a cortar su hoja en cuadraditos muy pequeños.

Cuando sonó la campana del recreo, Bradley se puso su anorak rojo y salió de clase solo.

–¡Eh! ¡Bradley, espera! –oyó que decía una voz.

Bradley se detuvo asombrado.

–Hola –le saludó el nuevo, tras alcanzarle.

Bradley le contempló perplejo.

–Oye, no me importa nada sentarme a tu lado –le dijo Jeff–. De verdad.

Bradley no supo qué contestar.

–Sí que he estado en la Casa Blanca –siguió Jeff–. Si quieres te lo cuento.

Bradley se quedó pensativo unos segundos. Luego respondió:

–Dame un dólar o te escupo en la cara.

2

Algunos chicos –se los reconoce a simple vista– son buenos escupidores. Quizá sea esa la mejor manera de describir a Bradley Chalkers. Tenía aspecto de ser un buen escupidor.

Era el chico de más edad y el más fortachón de la clase de la señorita Ebbel. Tenía un año más que sus compañeros. Había repetido cuarto. Estaba cursando quinto por primera vez pero, posiblemente, no por última.

Jeff le miró fijamente, le dio un dólar y se marchó corriendo.

Bradley se rio solo; luego se quedó mirando a los demás niños, que estaban divirtiéndose juntos.

Cuando entró en clase después del recreo, le asombró que la señorita Ebbel no le dijera nada. Se imaginaba que tarde o temprano Jeff se chivaría y tendría que devolver el dólar.

Se sentó al fondo de la clase, en el último pupitre de la última fila.

«No se atreve a chivarse», pensó. «Sabe que si se chiva le daré un puñetazo en la cara».

Bradley se rio solo. También comió solo.

Cuando entró en clase después de comer, la señorita Ebbel le indicó que se acercara a su mesa.

–¿Me llamas a mí? –preguntó, lanzando una mirada penetrante a Jeff, que ya se había sentado en su mesa–. No he hecho nada.

–¿Entregaste mi nota a tu madre? –preguntó la señorita Ebbel.

–¿Qué? ¿Una nota? Si no me has dado ninguna nota –respondió Bradley.

–Sí que te di una. Incluso te di dos porque me dijiste que la primera te la habían robado –suspiró la señorita Ebbel.

–¡Ah, es verdad! –exclamó Bradley–. Se la di hace un montón de tiempo.

La señorita Ebbel le miró con desconfianza.

–Bradley, creo que es muy importante que tu madre venga mañana –dijo.

Al día siguiente había reunión de padres.

–No puede venir –contestó Bradley–. Está enferma.

–No le entregaste la nota, ¿verdad? –preguntó la señorita Ebbel.

–Llama al médico si no me crees.

–El colegio acaba de contratar a una psicóloga, y me parece que es importante que tu madre la conozca.

–Ya se conocen –contestó Bradley–. Juegan a los bolos juntas.

–Bradley, estoy intentando ayudarte.

–¡Llama a la bolera si no me crees!

–De acuerdo, Bradley –repuso la señorita Ebbel para zanjar el tema.

Bradley se dirigió hacia su pupitre, aliviado de haber terminado la discusión. Miró a Jeff con asombro: le chocaba que no lo hubiera delatado. Después, mientras garabateaba, se puso a darle vueltas a lo que Jeff le había dicho: «¡Eh! ¡Bradley, espera! Hola. Oye, no me importa nada sentarme a tu lado. De verdad. Sí que he estado en la Casa Blanca. Si quieres te lo cuento».

Se sentía confuso.

Entendía cuando los demás chicos se portaban mal con él. No le importaba. Los odiaba. Y mientras los odiase, no le importaba lo que pensasen de él.

Por eso había amenazado a Jeff con escupirle. Tenía que odiar a Jeff antes de que Jeff le odiase a él.

Pero ahora se sentía confuso. «¡Eh! ¡Bradley, espera! Hola. Oye, no me importa nada sentarme a tu lado. De verdad». Las palabras de Jeff resonaban en su cabeza y le martilleaban en el cerebro.

Al acabarse las clases, salió corriendo tras Jeff.

–¡Eh, Jeff, espérame! –le llamó.

Jeff miró hacia atrás... y se puso a correr. Pero Bradley corría mucho más rápido que él. Alcanzó a Jeff en la esquina del edificio del colegio.

–No tengo dinero –dijo Jeff, nervioso.

–Te daré un dólar si eres mi amigo –dijo Bradley, ofreciéndole la moneda que Jeff le había dado antes.

Jeff alargó primero tímidamente la mano y luego asió el dólar con rapidez.

Bradley sonrió con su extraña sonrisa y luego le preguntó a Jeff:

–¿Has estado alguna vez en la Casa Blanca?

–Eh... Sí –respondió Jeff.

–¡Yo también! –contestó Bradley. Luego se dio media vuelta y echó a correr hacia su casa.

3

BRADLEY ABRIÓ la puerta de su casa y puso una mueca de disgusto. Olía a pescado.

–¡Qué pronto has llegado! –oyó la voz de su madre desde la cocina. Era una mujer grande con brazos gruesos. Llevaba puesto un vestido verde sin mangas, y en la mano tenía un cuchillo de carnicero.

–Es que he venido echando carreras con mis amigos –contestó Bradley.

En una tabla de madera, sobre la encimera de la cocina, había un pescado del tamaño de un brazo de la señora Chalkers. Bradley vio cómo levantaba el cuchillo y, con un movimiento rápido, cortaba la cabeza al pescado.

El chico atravesó el pasillo, llegó hasta su cuarto y cerró la puerta.

–¡Eh, amigos, Bradley ya está en casa! –anunció con otro tono de voz–. Hola, Bradley. Hola, Bradley –saludó.

–¡Hola a todos! –respondió, esta vez hablando con su propio tono de voz.

Estaba hablando con su colección de animales. Tenía unos veinte. Uno era un león de latón que había encontrado en un cubo de basura un día al volver del colegio. Otro, un burro de marfil que sus padres le habían traído de un viaje a México. También había dos búhos que antes se habían usado como salero y pimentero, un unicornio de cristal con el cuerno roto, una familia de perros *cocker* unidos a un cenicero, un mapache, un zorro, un elefante, un canguro y otros animales que estaban tan rotos que no se sabía qué eran. Pero todos eran sus amigos. Y todos pensaban que Bradley era un tipo genial.

–¿Dónde está Roni? –preguntó Bradley–. ¿Y Bartolo?

–Ni idea –respondió el zorro.

–Se escapan juntos a todas horas –comentó el canguro.

Bradley alargó el brazo y metió la mano debajo de la almohada. Sacó a Roni, la coneja, y a Bartolo, el oso. Sabía que estaban allí porque él mismo los había metido en ese sitio antes de irse al colegio.

–¿Qué estabais haciendo allí? –les preguntó.

Roni se rio. Era una conejita roja con diminutos ojos azules pegados en la cara. Tenía una oreja rota.

–Nada, Bradley –se rio–. Solo había salido a dar una vuelta.

–Pues yo... tenía que ir al cuarto de baño –se excusó Bartolo. Bartolo era un oso de porcelana pardo y blanco, erguido sobre las patas traseras. Tenía la boca abierta, dejando ver sus preciosos dientes y su lengua roja.

–Se han hecho novios –anunció el burro mexicano–. Los he visto besándose.

Roni se rio.

–¡Vaya, Roni! –la regañó Bradley–. ¡Qué voy a hacer contigo!

Roni se rio de nuevo.

Bradley metió la mano en el bolsillo y sacó un puñado de trocitos de papel. Era su control de lengua.

–¡Mirad! ¡Os he traído comida! –les dijo.

Dejó caer los trocitos de papel sobre la cama y luego puso sobre ella todos sus animales.

–Más despacio –les dijo–. Hay comida para todos.

–Gracias, Bradley –contestó Roni–. Está deliciosa.

–Sí, está de rechupete –corroboró Bartolo.

–No juguéis con la comida –regañó la madre *cocker* a sus tres cachorros.

–Pasa la sal –pidió el búho pimentero.

–Pasa la pimienta –pidió el búho salero.

–¿Qué se le dice a Bradley? –dijo el león.

–¡Viva Bradley! –exclamaron a coro.

Roni acabó de comer y luego se alejó sola dando brincos mientras cantaba «du, di du, di du». Después dijo:

–Me parece que me voy a dar un chapuzón en el estanque.

El estanque era una mancha de color morado en la colcha, causada por un zumo de uva que se le había caído a Bradley.

Roni se metió en el estanque de un brinco. De repente gritó:

–¡Socorro! Se me ha cortado la digestión.

–No deberías haberte metido nada más comer –la regañó Bradley.

–¡Socorro, me estoy ahogando!

–Esos gritos son de Roni –dijo Bartolo, levantando la vista–. Me parece que se está ahogando en el estanque –añadió mientras corría hacia allí para rescatarla–. ¡Aguanta, Roni, aguanta! –chilló–. Voy...

La puerta de la habitación de Bradley se abrió súbitamente y entró su hermana Claudia. Era cuatro años mayor que él.

–¡Sal de aquí! –le espetó Bradley–. Si no sales te daré un puñetazo en la cara.

–¿Qué estabas haciendo? ¿Hablar con tus animalitos? –le dijo ella para chincharle mientras se reía enseñando su aparato de dientes.

Era Claudia la que le había roto la oreja a Roni. Había pisado el conejo sin querer. Le había dicho a Bradley que la culpa era suya por dejar sus animales tirados por el suelo. Y Bradley no le había contestado que Roni no estaba en el suelo, sino perdida en el desierto. No, en vez de eso, había dicho:

–¡Bah! Me importa un pito. Es solo una estúpida coneja roja.

–Mamá quiere verte –dijo Claudia–. Me ha dicho que viniera a buscarte.

–¿Qué quiere?

–Hablar contigo. Diles a tus animales que volverás enseguida.

–No estaba hablando con ellos –insistió Bradley.

–Entonces, ¿qué estabas haciendo?

–Los estaba ordenando. Los estaba colocando por orden alfabético para un trabajo que tengo que hacer. Llama a mi profesora si no me crees.

Claudia soltó una carcajada. Aunque siempre se burlaba de los animalitos de Bradley, se había sentido fatal cuando había pisado su conejita. Sabía que era el animal preferido de su hermano. Le había comprado el oso para hacerse perdonar. «¿Para qué quiero yo un oso?», le había dicho Bradley cuando se lo dio.

Bradley fue a la cocina. El pescado, ya cortado y cubierto de aros de cebolla, se estaba guisando sobre el fuego.

–¿Me llamabas? –preguntó a su madre.

–¿Cómo te va en el colegio? –preguntó su madre.

–¡Fenomenal! Hoy me han elegido delegado de clase.

–¿Y las notas?

–Bien. Hoy nos ha devuelto la señorita Ebbel el último control de lengua y he sacado un sobresaliente.

–¿Me lo enseñas?

–La señorita Ebbel lo ha puesto en el corcho, junto con todos mis otros controles de sobresaliente.

–La señorita Ebbel acaba de llamarme –dijo su madre. El corazón de Bradley dio un vuelco.

–¿Por qué no me habías dicho que mañana había reunión de padres? –preguntó su madre.

–¿No te lo había dicho? –preguntó Bradley con voz ingenua.

–No, creo que no.

–Sí que te lo había dicho. Me contestaste que no podías ir. Se te ha debido de olvidar.

–La señorita Ebbel piensa que es importante que vaya –replicó su madre.

–Es su trabajo –dijo Bradley–. Cuantos más padres vayan, más dinero gana.

–Bueno. He quedado en verla mañana a las once.

Bradley la miró con incredulidad.

–¡No, no puedes ir! –gritó dando patadas al suelo–. ¡No hay derecho!

–Bradley, ¿qué estás diciendo?

–¡No es justo! ¡No es justo! –gritó mientras corría a su habitación y cerraba la puerta de un portazo.

Unos segundos más tarde, su madre llamó a su puerta.

–¿Qué ocurre? –preguntó–. ¿Por qué dices que no es justo?

–¡No es justo! –gritó–. ¡Me lo habías prometido!

–¿Qué te había prometido, Bradley? Dime, ¿qué te había prometido? –insistió su madre.

Bradley no contestó. No podía hacerlo hasta que se le ocurriera por qué no era justo y qué le había prometido su madre.

Se quedó en su cuarto hasta que Claudia le dijo que tenía que ir a cenar. La siguió hasta el comedor. Su madre y su padre ya estaban sentados a la mesa.

–¿Os habéis lavado las manos? –preguntó su padre.

–Sí –mintieron Claudia y Bradley.

El padre de Bradley era policía. Hacía ya cuatro años que le habían dado un tiro en la pierna mientras perseguía a un ladrón. Desde entonces necesitaba apoyarse en un bastón para andar, por lo que trabajaba en una oficina en vez de en la calle. No le gustaba ese tipo de trabajo y a menudo volvía a casa quejoso y malhumorado.

La policía nunca había dado con el hombre que le hirió en la pierna.

–Odio el pescado –dijo Bradley sentándose a la mesa.

–Yo también –dijo Claudia–. Se me pega al aparato y pasan semanas antes de que se me quite el sabor.

–Las coles de Bruselas son vomitivas –siguió Bradley.

–Huelen a basura –corroboró Claudia.

–¡Ya basta! –los regañó su padre–. Comed lo que os han puesto en el plato.

Bradley se tapó la nariz con una mano, pinchó una col de Bruselas con la otra y se la metió entera en la boca.

–¿Qué tonterías son esas de que tu madre no cumple sus promesas? –preguntó su padre.

–Me prometió llevarme al zoo mañana, y ahora dice que no puede –repuso Bradley, que ya tenía la contestación preparada.

–¿Qué dices? –se indignó su madre–. Nunca te he prometido llevarte al zoo.

–Sí que me lo prometiste. Me dijiste que, como no había colegio, mañana podíamos ir al zoo –insistió Bradley.

–Si ni siquiera sabía que no tenía colegio mañana hasta que me lo ha dicho su profesora esta mañana –protestó su madre dirigiéndose a su marido.

–¡Me lo prometiste! –insistió Bradley.

–De acuerdo –dijo su padre–. Janet, ¿a qué hora es tu entrevista mañana con la profesora de Bradley?

–A las once.

–Entonces puedes ir a tu entrevista y luego al zoo, después de comer.

–¡Pero si nunca le dije que le llevaría al zoo! –protestó esta vez la madre de Bradley.

–Sí que me lo dijiste –la acusó Bradley–. Y además quedamos en ir por la mañana. Tenemos que estar en el zoo a las once.

–¿Por qué tienes que estar en el zoo a las once? –preguntó burlonamente Claudia.

Bradley lanzó una mirada de odio a Claudia y luego dijo a su padre:

–Porque es la hora a la que dan de comer a los leones.

Claudia se echó a reír.

–Me prometió que me llevaría a ver cómo daban de comer a los leones a las once –insistió Bradley.

–¡Ni siquiera sabía a qué hora comían los leones! –dijo atónita su madre.

–A las once –respondió Bradley.

–No mientas a tu madre –ordenó su padre.

–¡Es verdad! –exclamó Bradley–. Dan de comer a los leones a las once.

–No tolero las mentiras –dijo su padre.

–No estoy mintiendo –respondió Bradley–. Llama al zoo si no me crees.

–No mientas a tu madre. Y a mí tampoco.

–Llama al zoo –insistió Bradley.

–Tu madre dice que nunca te prometió llevarte al zoo.

–Miente –contestó Bradley, aunque nada más decirlo se dio cuenta de que había metido la pata.

–¡No se te ocurra llamar mentirosa a tu madre! –gritó su padre, rojo de ira–. Vete ahora mismo a tu cuarto.

–Anda, llama al zoo –suplicó Bradley.

–A lo mejor sí que le propuse ir al zoo –dijo su madre.

–¿Lo ves? –dijo Bradley.

–Sigue así, Bradley. Sigue así y verás. ¿Qué quieres ser de mayor? ¿Un criminal? ¿Quieres pasarte la vida en la cárcel? Veo a personas igualitas a ti en la comisaría todos los días. Sigue así...

Bradley miró a su padre con rabia.

–¡Todos los criminales no van a la cárcel! –afirmó–. ¿Qué ha sido del hombre que te disparó?

–¡Te he dicho que te vayas a tu cuarto!

Bradley se levantó de la mesa.

–Bien. Así no me tengo que comer esta basura –dijo saliendo al pasillo y encerrándose en su cuarto dando un portazo. Luego abrió la puerta y gritó–: Llama al zoo –por última vez antes de volver a cerrar la puerta de otro portazo. Entonces se echó en la cama y se puso a llorar.

–No llores, Bradley –dijo Roni–. Verás cómo se arregla todo.

–Ya verás cómo se te ocurre algo, Bradley –dijo Bartolo–. Siempre se te ocurre algo. Eres el chico más listo del mundo.

4

Bradley gritó a su madre desde la puerta principal:

—¡La señorita Ebbel es una mentirosa! ¡No te creas nada de lo que te diga!

La madre de Bradley se subió al coche, apretó los dientes y se dirigió hacia el colegio. Se temía tanto como Bradley, si no más, lo que la señorita Ebbel le iba a contar.

Quería creer a Bradley cuando le contaba que estaba sacando sobresalientes o que le habían elegido delegado de clase. Intentaba engañarse a sí misma pensando que podía ser cierto, aunque sabía que era imposible. Conocía a su hijo. Y sabía que la señorita Ebbel no se molestaría en llamarla por teléfono si todo fuera tan estupendamente como Bradley aseguraba. Pero no quería perder la esperanza.

Abrió la puerta de la clase de Bradley. Allí no había nadie.

—¡Hola! —llamó tímidamente.

Miró alrededor. El corcho estaba repleto de controles con sobresaliente. Los miró con detenimiento, deseando de todo corazón que uno fuera de Bradley. No vio su nombre en ninguno de ellos.

Al fondo de la clase había un corcho con los nombres de todos los alumnos de la clase. Junto a cada nombre, había una fila de estrellas doradas. Junto al nombre de Bradley Chalkers no había ninguna estrella.

–¿Señora Chalkers?

La madre de Bradley se volvió sobresaltada y se encontró con la señorita Ebbel.

–¡Me ha dado un susto! –dijo, y luego sonrió.

La señorita Ebbel no sonrió.

La señora Chalkers se sentó en una silla junto a la mesa de la profesora y escuchó con valentía todo lo que esta contó de Bradley. No le dijo nada que ya no supiera; sin embargo, sus palabras le dolieron.

–En el fondo, es un buen chico –intentó explicar a la profesora de Bradley.

–Estoy segura de que tiene muchas cualidades –afirmó la señorita Ebbel–, pero tengo veintiocho niños más en clase y no puedo dedicar todo mi tiempo a intentar ayudar a Bradley. Tiene que decidir si quiere integrarse en la clase o no. Y si no quiere formar parte de la clase, no debería venir. Hace que todo sea más difícil para los demás.

–¿Qué puedo hacer? –preguntó la madre de Bradley.

–El colegio acaba de contratar a una psicóloga –respondió la señorita Ebbel–. Me gustaría que diera su autorización para que viera a Bradley un día a la semana.

–Estoy dispuesta a cualquier cosa que pueda ayudar a mi hijo –dijo la señora Chalkers.

–No sé si puede ayudarle o no –dijo la señorita Ebbel–. Bradley tiene un problema muy serio de comportamiento. Si no mejora pronto, tendremos que tomar medidas más drásticas.

–En el fondo, es un buen chico –insistió la madre de Bradley.

–Bien, pues le voy a presentar a la psicóloga –dijo la señorita Ebbel.

La señorita Ebbel recorrió los pasillos con la madre de Bradley y llegó hasta el despacho de la psicóloga. La puerta estaba abierta, pero allí no había nadie. La madre de Bradley entró en el cuarto. Había cajas por todas partes. Algunas estaban volcadas y los objetos que contenían desparramados por el suelo. También había una escalera amarilla apoyada de canto. En el centro del despacho había una mesa redonda rodeada de sillas, pero tanto sobre una como sobre las otras había apilados papeles, cajas, juegos y libros. Apenas había sitio para que la señorita Ebbel y la señora Chalkers pudieran poner los pies.

–Acaba de traer sus cosas al despacho –explicó la señorita Ebbel–. Estoy segura de que mañana tendrá todo ordenado.

La señora Chalkers se encogió de hombros. Sacó un muñeco de guiñol con aspecto de delfín de una caja abierta sobre la mesa e introdujo la mano en él.

De repente se oyó una sonora queja y una chica joven entró en la habitación. Dejó caer la caja que llevaba y los más de cien lápices que contenía se esparcieron por el suelo.

–¡Ah! ¡Hola! –saludó.

Era mucho más joven que la señorita Ebbel o que la señora Chalkers. Vestía vaqueros y una camiseta roja en la que ponía ROCK'N'ROLL con letras de color azul claro. Tenía pelo castaño claro y ojos azul claro.

–Soy Carla Davis –dijo tendiendo la mano a la madre de Bradley.

La madre de Bradley se quedó mirándola con asombro unos instantes y luego fue a darle la mano, pero de repente se dio cuenta de que aún llevaba puesto el muñeco del delfín. Rápidamente se lo quitó y lo metió de nuevo en la caja que estaba sobre la mesa.

La psicóloga sonrió.

–Tiene que firmar una autorización para que puedas empezar a ver su hijo –dijo la señorita Ebbel.

Carla Davis miró por toda la habitación con cara de desesperación.

–Están aquí, en algún sitio –murmuró, y luego se puso a abrir cajas impulsivamente.

–Quizá es mejor que vuelva en otro momento –sugirió la madre de Bradley.

–¡Las he encontrado! –exclamó la psicóloga, agitando en alto las hojas de autorización.

Empujó una caja para despejar un rincón de la mesa y puso allí una hoja para que la firmara la señora Chalkers.

La señora Chalkers observó el desorden del despacho; luego miró a la chica de la camiseta del *rock'n'roll*. Se encogió de hombros y firmó el papel.

Carla Davis cogió la autorización y exclamó:

–¡Ah, pero si es usted la madre de Bradley Chalkers! La señora Chalkers asintió con la cabeza.

–¡No se puede ni imaginar las historias de horror que me han contado de él! –dijo la psicóloga nueva–. Llevo aquí solo tres horas, pero creo que se han pasado por mi despacho todos los profesores del colegio para advertirme de cómo es.

–En el fondo, es un... –empezó a decir la señora Chalkers.

–¡Me muero de ganas de conocer a Bradley! –la interrumpió la psicóloga–. Debe de ser un chico encantador, realmente encantador.

5

EN LA CENA, el padre de Bradley preguntó cómo había transcurrido la entrevista con la profesora de su hijo.

Bradley fijó la vista en su puré de patatas.

–Fenomenal –contestó su madre–. Bradley va muy bien.

–Bien. Me alegra saberlo –respondió su padre.

Bradley también se alegró.

Más tarde, esa misma noche, su madre entró en su cuarto.

–He conocido a la señorita Davis, la psicóloga nueva –dijo–. Empiezas con ella mañana.

–¡No! –se opuso Bradley–. ¡No pienso ir!

–Por favor, Bradley. No te pongas así. Puede ayudarte si tú le dejas.

–No necesito ayuda. Tú has dicho que iba muy bien –afirmó Bradley.

–¿Qué querías? ¿Qué le dijese a tu padre la verdad y te mandara a un colegio militar? No lo sé. A lo mejor tiene razón y es eso lo que necesitas.

–Has dicho que iba muy bien. Te he oído –insistió Bradley.

–Por favor, Bradley –suplicó su madre–, dale una oportunidad a la señorita Davis. Por favor.

–Tendríamos que haber ido al zoo.

A la mañana siguiente lloviznaba cuando Bradley se dirigía hacia el colegio. Llevaba puestas unas botas de agua rojas y un chubasquero amarillo. Saltaba en cada charco que encontraba en su camino haciendo que salpicara mucha agua.

De repente se paró al ver a Jeff de pie junto al colegio, bajo el alero del tejado. El pie izquierdo de Bradley se quedó en el centro del charco mientras observaba a su único amigo.

Respiró profundamente y luego se acercó despacio a Jeff.

«Le tengo que caer bien», intentaba convencerse a sí mismo. «Le di un dólar».

–Hola, Bradley –le saludó Jeff.

Bradley no contestó.

–Si quieres, te puedo echar una mano con los deberes de vez en cuando –se ofreció Jeff–. Ya sé que soy el nuevo, pero soy bastante listo y en mi colegio anterior hacíamos lo mismo –añadió con modestia.

–No necesito ayuda –contestó Bradley mirando a Jeff como si fuera un extraterrestre–. Soy el chico más listo de la clase. Pregúntaselo a quien quieras.

Ambos se dirigieron hacia la clase de la señorita Ebbel, uno al lado del otro, pero no por eso juntos.

6

JEFF FISHKIN estaba totalmente perdido. Sujetaba con fuerza su pase para acceder a las zonas restringidas para alumnos mientras miraba el largo pasillo desierto que se abría ante él. Su colegio nuevo le parecía inmenso.

Se dirigía a ver a la nueva psicóloga. Se suponía que esta debía ayudarle a «adaptarse a su nuevo entorno escolar». Pero ahora no solo no sabía cómo llegar hasta su despacho, tampoco tenía ni idea de cómo regresar a su clase.

El suelo estaba resbaladizo. Se había puesto a llover durante el recreo y los niños habían esparcido el agua y el barro con los zapatos.

Una profesora cargada con una pila de folios salió por una puerta y Jeff se dirigió rápidamente hacia ella:

—Por favor, ¿sabe dónde está el despacho de la psicóloga? —dijo con voz temblorosa.

La profesora verificó que tenía el pase, luego dijo:

—A ver, el despacho de la psicóloga... Sigue por este pasillo hasta el final, gira a la derecha y es la tercera puerta a la izquierda.

—Muchas gracias —dijo Jeff encaminándose pasillo abajo.

–No, espera –dijo la profesora–. Me he equivocado: está en el despacho nuevo en la otra ala. Vuelve por donde has venido; luego, al final del pasillo, gira a la izquierda; es la segunda puerta a la derecha.

–Gracias –repitió Jeff.

Se dirigió hasta el final del pasillo, giró a la derecha, contó las puertas y abrió la segunda a mano derecha.

Una niña pelirroja con pecas se estaba lavando las manos en el lavabo. Cuando vio a Jeff, se quedó boquiabierta.

–¿Qué haces aquí, niño? –le espetó.

–¿Eh? –se sorprendió Jeff.

–¡Sal de aquí! –gritó–. ¡Este baño es de chicas!

Jeff se quedó de una pieza. Se tapó la cara con las manos y salió corriendo de allí.

–¡Hay un chico en el baño de las chicas! –gritó tras él la niña.

Jeff corrió alocadamente pasillo abajo. De repente, sintió que sus pies resbalaban. Agitó los brazos desesperadamente intentando mantener el equilibrio. Luego, cayó al suelo.

–¡Oh, no, no, no! ¿Qué he hecho? –se lamentó–. ¿Por qué no he mirado el letrero de la puerta? ¡Es el peor día de mi vida!

De repente, Jeff se dio cuenta de que no tenía el pase. Se puso en pie y miró desesperadamente a su alrededor.

–¡No puedo creer que se me haya caído en el cuarto de baño de las chicas! –se quejó.

Al oír pasos, Jeff se escabulló rápidamente en sentido opuesto. Dobló la esquina del pasillo y vio un cuarto con aspecto de almacén. Estaba atiborrado de cajas. El chico se metió dentro y cerró la puerta.

—Hola —le saludó una voz.

Jeff giró sobre sí mismo.

Una mujer bajaba los peldaños de una escalera de mano amarilla.

—Tú debes de ser Jeff. Yo soy Carla Davis —dijo sonriendo mientras le tendía la mano—. Me alegro de que hayas llegado. Me preocupaba que te hubieras perdido.

7

Jeff se sentó a la mesa redonda. Carla Davis se puso frente a él.

–Bueno, dime, ¿te gusta tu colegio nuevo? –le preguntó.

Jeff miraba fijamente delante de sí. En su cabeza retumbaban las palabras: «¡Hay un chico en el baño de las chicas!».

–Me imagino que te debe de dar un poco de miedo –siguió la psicóloga.

Jeff no contestó.

–A mí también me da un poco de miedo –afirmó Carla–. ¡Es tan grande! Cada vez que intento ir a un sitio me pierdo.

Jeff sonrió tímidamente.

–Como soy nueva, me resulta un poco difícil –explicó–. Hoy es mi segundo día en el colegio. No conozco a nadie y nadie me conoce a mí. Los demás profesores me miran con cara rara. Me cuesta relacionarme con ellos. Ellos ya tienen sus propios amigos.

–Te entiendo –dijo Jeff.

–A lo mejor me puedes ayudar –dijo la psicóloga.

–¿Yo? –preguntó Jeff–. ¿Cómo puedo ayudarte yo a ti? ¡Si el que necesita ayuda soy yo!

–Bueno, pues a lo mejor nos podemos ayudar el uno al otro. ¿Qué te parece?

–¿Cómo?

–Tú y yo somos los nuevos del cole –explicó–. Podemos compartir las cosas que nos ocurren y aprender el uno del otro.

–Vale, señorita Davis –sonrió Jeff.

–Jeff –dijo la psicóloga–, si vamos a ser amigos quiero que me llames Carla, no señorita Davis.

Jeff se rio.

–¿Qué pasa? ¿Te parece divertido mi nombre?

–¡Oh, no! Es que nunca he llamado a una profesora por su nombre. Solo es eso –aclaró Jeff.

–Pero hemos quedado en que somos amigos. Y los amigos no se llaman el uno al otro señorita Davis y señorito Fishkin, ¿verdad?

–No –respondió Jeff riéndose. Luego, frunciendo el ceño, añadió–: Los niños de mi clase se burlan de mi apellido. Me llaman Fisiquín.

–¿Te has hecho amigos? –preguntó Carla.

–Se supone que me he hecho uno, pero no me cae bien –respondió Jeff.

–¿Cómo podéis ser amigos si no te cae bien? –preguntó Carla intrigada.

–No cae bien a nadie. Al principio me dio pena porque ningún niño se quiere sentar a su lado. La señorita Ebbel me lo dijo en voz alta delante de toda la clase: «Nadie se quiere sentar allí». Lo dijo como si él no estuviera en clase. Ya es bastante horrible que un niño diga una cosa así, pero que encima lo diga un profesor...

–Me imagino que le habrá dolido –dijo Carla.

–No. Solo sonrió.

–A lo mejor sonrió hacia fuera, pero ¿tú crees que sonrió hacia dentro?

–No lo sé. Supongo que no. Supongo que por eso intenté ser su amigo. Le dije que me gustaba sentarme a su lado. Pero entonces él me dijo: «Dame un dólar o te escupiré en la cara».

–Y tú, ¿qué hiciste?

–Le di un dólar. No quería que me escupiera. Pero luego me dijo: «Te daré un dólar si eres mi amigo». Así que lo cogí. ¡El dólar era mío! Pero no sé si tengo que ser su amigo por haber recuperado lo que era mío. Ahora estamos iguales.

–Para ti, ¿qué es la amistad? –le preguntó Carla.

–No lo sé. Bueno, lo que quiero decir es que sé lo que es, pero no lo sé explicar.

–¿Crees que es algo que se puede comprar y vender? ¿Puedes ir al súper y llevarte una botella de leche, una docena de huevos y un amigo?

–No –se rio Jeff–. ¿Significa eso que no tengo que ser su amigo?

–Yo no te voy a decir lo que tienes que hacer –respondió Carla–. Solo te puedo ayudar a que pienses por ti mismo.

–Ni siquiera sé si Bradley quiere ser mi amigo –dudó Jeff–. Hoy en el patio hemos estado juntos, pero no hemos hecho nada. Se ha portado como si yo no estuviera allí. Luego, cuando ha empezado a llover, se ha puesto a correr de un lado para otro empujando a los pequeños para que se cayeran en el barro.

–¿Puedes contarle lo que sientes? –preguntó Carla–. Esa es la manera de construir una verdadera amistad: hablando con sinceridad y compartiendo tus sentimientos. Tal como estamos hablando tú y yo ahora. Por eso somos amigos.

–Pero Bradley no es como tú y yo. Es diferente –respondió Jeff.

–Yo creo que, si eres amable con él, él también lo será contigo. Si eres sincero y amigable con él, él será sincero y amigable contigo. Es como lo del dólar, al final siempre estáis igualados.

Jeff sonrió.

–¿Vas a ver también a Bradley? –preguntó después.

–Sí. Hoy, más tarde –contestó Carla.

–¿Crees que podrás ayudarle? –se interesó Jeff.

–No lo sé.

–Espero que puedas. Lo necesita incluso más que yo. No le dirás nada de lo que te he contado, ¿verdad?

–No. Esa es una de mis reglas más importantes: jamás cuento a nadie lo que me han contado otros aquí, alrededor de esta mesa –aseguró Carla.

–¿Nunca?

Carla negó con la cabeza.

–¿A otros profesores tampoco?

Carla volvió a negar con la cabeza.

–¿Y al director?

–Tampoco.

–Vale –suspiró Jeff. Respiró hondo y arrugó el ceño–. Pues ahí va: viniendo hacia aquí me he perdido y, bueno, sin querer, me he metido en el baño de las chicas –confesó tapándose la cara con las manos.

8

La señorita Ebbel estaba dando clase de geografía. Todos sus alumnos tenían sobre su pupitre un mapa de Estados Unidos.

El mapa de Bradley era diferente de todos los demás mapas. California estaba al norte de Wisconsin. Florida estaba junto a Texas. Bradley cogió de nuevo sus tijeras y recortó con cuidado Tennessee. Recortaba muy bien. El filo de sus tijeras jamás se apartaba de la línea negra.

Mientras lo hacía, se preguntaba qué sería de Jeff. Sabía que estaba con la psicóloga. Se imaginó que le estaba haciendo cosas espantosas. Había intentado decirle a Jeff en el patio que no fuera a verla.

Intentó unir Tennessee con Washington. Pegar se le daba fatal. Su trozo de cinta adhesiva se retorció y se pegó sobre sí misma.

Levantó la cabeza cuando Jeff entró en la clase y observó cómo colgaba su pase en el gancho que estaba detrás de la mesa de la profesora. Cuando Jeff se dirigió hacia el pupitre que estaba junto al suyo, apartó la vista.

Nada más sonar la campana del recreo, Bradley metió su mapa en el pupitre y sacó su bolsa de papel. Como estaba lloviendo, todos los alumnos tenían que comer dentro, en el salón de actos. Jeff y Bradley fueron hacia allá juntos; bueno, uno al lado del otro.

«Está caminando a mi lado», pensó Bradley, «pero yo no estoy caminando a su lado».

En el salón de actos hacía calor, había humedad y ruido. Habían puesto unas mesas largas y unos bancos.

–¿Dónde quieres sentarte? –preguntó Jeff.

Bradley hizo como si no le hubiera oído. Se puso de puntillas y miró por toda la sala como intentando localizar a sus verdaderos amigos. Jeff se dirigió hacia una mesa y se sentó.

Bradley caminó hasta detrás de donde se había sentado Jeff.

–Me parece que me voy a sentar aquí –dijo en voz alta, como si no advirtiese la presencia de Jeff.

Pasó las piernas por encima del banco y se sentó a su lado.

–Hola –le saludó Jeff.

Bradley miró a Jeff por primera vez.

–¡Ah! Si eres tú –dijo.

Y se pusieron a comer.

–¿Qué comes? –preguntó Jeff.

–Un *zanuid* de *zema* de cacahuete –contestó Bradley mientras volaban de su boca trocitos de pan y crema de cacahuete–. ¿Y *zu*?

–Atún –contestó Jeff.

Bradley tragó lo que tenía en la boca y dijo:

–Odio el atún.

–El de mi madre es muy rico, lo hace con trocitos de manzana.

–Odio las manzanas –respondió Bradley, sorbiendo con su pajita de refresco las últimas gotas de leche que quedaban en su vaso y haciendo un ruido horrible.

Sentadas dos mesas más allá de la de Jeff y Bradley había tres niñas: Melinda Birch, Lori Westin y Colleen Verigold. Estaban hablando y riéndose de algo divertido que le había pasado a Colleen esa mañana.

–¡Allí está! –dijo en voz baja Colleen, que era pelirroja y pecosa, tapándose la boca con la mano–. Es él.

–¿Dónde? –preguntó Lori.

–No le miréis –ordenó Colleen–. Está allí, sentado al lado de Bradley Chalkers.

–¿De Bradley Chalkers? Me parece que voy a vomitar –dijo Lori.

–No mires –murmuró Colleen.

–¿Qué te ha hecho la psicóloga? –preguntó Bradley dejando de chupar su pajita de refresco.

–Nada –contestó encogiéndose de hombros Jeff.

–¿Te ha chillado mucho? ¿Es mala y fea?

–No. Es simpática. Creo que te va a caer bien –dijo Jeff.

–¿A mí? No pienso verla. No he hecho nada malo.

–Te ayuda a resolver tus problemas –dijo Jeff.

–Yo no tengo ningún problema –respondió Bradley mordiendo ferozmente una deliciosa manzana roja.

–¿No me habías dicho que odiabas las manzanas? –preguntó Jeff.

Bradley metió la manzana en su bolsa de papel.

–No era una manzana, era un plátano –respondió.

La cara de Jeff cambió de repente de color: se puso primero blanca, luego roja como un tomate.

–¡Oh! Me parece que te ha visto –dijo Melinda.

Lori se echó a reír. Colleen se sonrojó.

–¡Vamos! –dijo Lori–. Vamos a hablar con él.

Lori Westin era una chica bajita y esmirriada, con una larga melena negra lisa.

Melinda también se puso en pie. Era casi el doble de alta que Lori. Era castaña y llevaba el pelo corto.

–¡No! ¡Por favor, no vayáis! –suplicó Colleen.

–¿Qué te pasa? –preguntó Bradley.

–¿Eh? Nada –respondió Jeff–. Por cierto, ¿me he perdido algo en clase?

–No. La Ebbel nos ha dado a todos un mapa.

–Lo tengo.

–No lo pierdas –dijo Bradley–. La Ebbel quiere que se lo devolvamos.

Detrás de ellos había dos niñas soltando risitas. Jeff y Bradley se dieron la vuelta.

–Colleen dice que eres muy guapo –dijo Lori.

–¿Quién? –preguntó Jeff sonrojándose.

Las dos chicas se rieron.

–¿Cómo te llamas? –preguntó Melinda.

Jeff se sonrojó de nuevo.

–Colleen quiere saberlo –dijo Lori echándose a reír otra vez con Melinda.

–No tiene nombre –intervino Bradley, saliendo al rescate de Jeff.

Bradley odiaba a Lori. Tenía la boca más grande de todo el colegio. Y siempre se estaba riendo. Podía oírla riéndose de un extremo a otro del colegio.

–¡Ajjj, Bradley Chalkers! –dijo Lori tapándose la nariz.

–¡Lori, lorito, voz de pajarito! –contestó Bradley.

–No estamos hablando contigo, Bradley –dijo Melinda.

–¡Eso es lo que tú te crees! –respondió Bradley agitando el puño amenazador.

–Solo queríamos saber cómo se llama –dijo Melinda mientras ella y Lori daban un paso atrás.

–Y qué hacía en el baño de las chicas –chilló Lori.

Riéndose, las dos niñas volvieron hasta donde estaba Colleen.

Bradley se dio lentamente la vuelta y miró a Jeff con asombro. El chico tenía la cabeza apoyada en la mesa y tapada por los brazos.

–¿Te has metido en el baño de las chicas? –preguntó Bradley.

–¿Y qué? –respondió Jeff–. Carla dice...

–¡Yo también! –declaró Bradley–. Yo entro allí a todas horas. ¡Me encanta hacerles gritar!

Bradley sonrió a Jeff.

9

–Bradley Chalkers, ¿se puede saber por qué no estás en clase?

Se lo preguntaba una profesora. Bradley no la conocía, pero todas las profesoras parecían conocerle a él.

–Tengo el pase –respondió Bradley.

–Déjame verlo –exigió la profesora.

–Me lo ha dado la señorita Ebbel –dijo Bradley enseñándoselo–. Pregúntaselo a ella si no me crees.

–¿Adónde vas?

–A la biblioteca. A coger un libro.

–De acuerdo, pero ve directamente a la biblioteca. Y que no se te ocurra despistarte, Bradley.

Bradley había mentido. Ni siquiera tenía permiso para sacar libros de la biblioteca.

La puerta del despacho de la psicóloga estaba abierta, así que pasó sin llamar.

–¡Aquí estoy! –anunció–. ¿Qué quieres?

–¡Hola, Bradley! –le saludó sonriendo cariñosamente Carla–. Soy Carla Davis. Me alegro de verte. Tenía muchas ganas de conocerte –añadió tendiéndole la mano.

Bradley se quedó asombrado de lo joven y lo guapa que era Carla. Se esperaba una vieja bruja. La psicóloga tenía ojos azul cielo y pelo rubio y suave. Llevaba una blusa blanca con rayas onduladas e irregulares de colorines, como si estuvieran pintarrajeadas por un niño. Pero al fijarse con más detalle, se dio cuenta de que estaban impresas así a propósito para crear ese efecto.

–¿No me vas a dar la mano? –preguntó Carla.

–No, eres demasiado fea –contestó pasando de largo por delante de ella y sentándose a la mesa.

Carla se sentó frente a él.

–Te agradezco que hayas venido –dijo.

–No podía no venir. La señorita Ebbel me ha obligado –contestó Bradley.

–No me importan las razones. Me alegro de que hayas venido.

–Pensaba meterme en la biblioteca –explicó–. Me metí aquí sin querer.

–No creo que se hagan las cosas sin querer –contestó Carla.

–¿No crees que se hacen cosas sin querer? –preguntó Bradley a su vez, sorprendido. Era lo más absurdo que había oído jamás.

Carla negó con la cabeza.

–Entonces, cuando tiras un vaso de leche...

–¿Te gusta la leche? –preguntó Carla.

–No. La odio –respondió Bradley.

–Entonces, es posible que tires tu vaso de leche a propósito –dijo–, y pienses que lo has hecho sin querer –añadió sonriendo.

Bradley, furioso, miró la mesa fijamente. Se sentía engañado.

–No bebo leche –dijo–. Tomo café.

Miró por todo el cuarto. Estaba repleto de objetos curiosos.

–¡Menudo desorden hay en este cuarto! –dijo.

–Lo sé –admitió Carla–. Me gustan los cuartos desordenados. Los cuartos limpios y ordenados me resultan aburridos y deprimentes. Me recuerdan a un hospital.

–¿Y no te la cargas? –preguntó Bradley.

–¿Por qué me la voy a cargar? –contestó Carla.

Bradley no supo qué contestar, solo sabía que si fuera su cuarto y estuviera desordenado él sí que se la cargaría.

–No he hecho nada malo –afirmó.

–Nadie te ha dicho eso –contestó Carla.

–¿Entonces por qué tengo que venir?

–Deseo que estés a gusto aquí –dijo Carla–. Deseo que seamos amigos. ¿Crees que podremos?

–No.

–¿Por qué no?

–Porque no me caes bien.

–Tú me caes bien a mí –dijo Carla–. Me puedes caer bien, ¿no? No hace falta que yo te caiga bien a ti.

Bradley se revolvió en la silla.

–También esperaba que me pudieras enseñar cosas –añadió Carla.

–La profesora eres tú, no yo.

–¿Y qué? Eso no importa. Un profesor a veces aprende mucho más de un alumno de lo que aprende el alumno de un profesor.

–He enseñado mucho a la señorita Ebbel –asintió Bradley–. Hoy le he enseñado geografía.

–¿Qué me quieres enseñar a mí? –preguntó Carla.

–¿Qué quieres saber?

–Dímelo tú a mí –repuso Carla–. ¿Qué es lo más importante que me puedes enseñar?

Bradley intentó pensar en algo que supiera.

–El elefante es el animal más grande del mundo –afirmó–, pero teme a los ratones.

–¿Por qué será? –se preguntó Carla.

–Porque si un ratón se metiera por la trompa de un elefante se quedaría atascado y entonces el elefante no podría respirar y se moriría. Así se mueren casi todos los elefantes –explicó Bradley.

–Comprendo –dijo Carla–. Gracias por compartirlo conmigo. Eres un buen profesor.

Bradley sintió de repente como si le hubieran engañado de nuevo. No quería compartir nada con nadie. La odiaba.

–¿Qué más quieres enseñarme? –preguntó Carla.

–Nada –respondió–. En el colegio no se debe hablar.

–¿Por qué no?

–Es una regla. Igual que no se debe tirar chicle en la fuente.

–Bueno, pues en este cuarto no hay reglas –afirmó Carla–. Aquí todo el mundo piensa por sí mismo. Nadie te dice qué debes hacer.

–¿Entonces puedo tirar chicle en la fuente? –preguntó.

–Podrías... salvo que no tengo fuente.

–¿Puedo romper algo? –preguntó Bradley.

–Por supuesto.

Miró a su alrededor para ver qué podía romper y luego se contuvo a tiempo. Seguro que era otro truco. Rompería algo y luego se la cargaría y nadie le creería cuando explicase que ella le había dicho que no había reglas.

–No estoy de humor –respondió.

–Bueno, pero si estás alguna vez de humor hay muchas cosas que puedes romper; cosas a las que tengo cariño y cosas que son útiles a otros niños.

–Lo haré –le aseguró Bradley–. Hago kárate –añadió levantando la mano, estirada y de canto, a cierta altura sobre la mesa–. Puedo partir esta mesa en dos usando solo mi mano.

–No me gustaría nada ver cómo te haces daño en la mano –dijo Carla.

–Nunca me duele nada –respondió Bradley–. He roto todas las mesas de mi casa. Y también las sillas. Llama a mi madre si no me crees.

–¡Claro que te creo! –contestó Carla–. ¿Por qué no iba a creerte?

–Créeme.

Y eso hizo Carla. Durante el resto de la sesión, le contase lo que le contase, creyó todo lo que le dijo Bradley.

Cuando este afirmó que sus padres le daban de comer comida de perros, le preguntó a qué sabía.

–Es deliciosa –contestó Bradley–. Sabe a carne dulce.

–Siempre he querido probarla –dijo Carla.

Cuando le contó que el presidente le había llamado por teléfono la noche anterior, le preguntó de qué habían hablado.

–De sombreros –respondió inmediatamente Bradley.

–¿Sombreros? ¿Y qué dijiste?

–Le pregunté por qué no usaba sombrero como Abraham Lincoln.

–¿Y qué te contestó?

Bradley se quedó pensando un momento. Luego dijo:

–No te lo puedo decir. Es secreto de Estado.

Cuando casi se había acabado la sesión, Carla dio a Bradley una hoja y le preguntó si quería hacer un dibujo. Él eligió un lápiz negro de la inmensa caja de lápices de colores y no lo soltó. Garabateó con furia todo el papel. Carla se inclinó para mirar lo que hacía.

–Es muy bonito –comentó.

–Es un dibujo de la noche –le contó Bradley.

–¡Ah! Yo creía que era el suelo de una peluquería después de que alguien con pelo negro y rizado se lo hubiera cortado.

–¡Eso es! –dijo Bradley–. Eso es lo que te estaba diciendo.

–Es muy bueno –dijo Carla–. ¿Me lo puedo quedar?

–¿Para qué?

–Me gustaría ponerlo en la pared.

–¿Aquí? –preguntó con incredulidad Bradley.

–Sí.

–No. Es mío –dijo Bradley.

–Esperaba que quisieras compartirlo conmigo –contestó Carla.

–Te lo vendo por un dólar.

–Lo vale –dijo Carla–, pero solo lo quiero si deseas compartirlo.

–No –contestó tajante Bradley.

–De acuerdo –dijo Carla–. Pero si alguna vez cambias de opinión, dímelo porque siempre querré tenerlo.

–Puedes obligarme a dártelo –sugirió Bradley.

–No, no puedo.

–Seguro que puedes. Los profes obligan a los niños a hacer cosas que no quieren hacer a todas horas.

Carla negó con la cabeza.

Era hora de que Bradley volviera a clase.

–Me lo he pasado muy bien contigo –dijo Carla–. Gracias por compartir tanto conmigo –añadió tendiéndole la mano.

Bradley retrocedió ante la mano de Carla como si fuera una especie de serpiente venenosa. Luego se dio media vuelta y salió corriendo por la puerta.

Cuando llegó a la clase de la señorita Ebbel, arrugó su dibujo hasta formar una bola y lo arrojó a la papelera que había junto a la mesa de la profesora.

10

Bradley se sentó en su sitio al fondo de la clase, en el último pupitre de la última fila. Allí se sentía seguro. La psicóloga había conseguido asustarle. Era aún peor de lo que se había imaginado.

Miró a Jeff. Este le sonrió y luego siguió trabajando. Bradley se alegraba de que Jeff fuera su amigo.

«Jeff y yo nos parecemos mucho», pensó. «Los dos somos listos. Los dos odiamos a la psicóloga. Y a los dos nos gusta meter la nariz en el cuarto de baño de las chicas».

En realidad, Bradley nunca se había metido en un baño de chicas. Era algo que siempre había querido hacer, pero nunca se había atrevido. Ahora que Jeff y él eran amigos, esperaba que fueran juntos. Se moría de ganas de saber qué aspecto tenían los baños de chicas.

Se imaginaba que tenían una moqueta dorada, estaban empapelados de rosa y los váteres tenían asientos de terciopelo rojo. ¡Nada que ver con los baños de chicos! Se parecerían más bien a fuentes con agua de colores.

—¿Qué te ha parecido Carla? —le preguntó Jeff al terminar las clases. Iban caminando por la acera junto al edificio del colegio. Llevaban el chubasquero en la mano porque había dejado de llover.

–¡Es rarísima! –exclamó–. Le gusta la comida de perro.

–¿De verdad que te ha contado eso? –preguntó con cara de sorpresa Jeff.

Bradley asintió con la cabeza.

–Me ha preguntado por qué el presidente no usa sombrero. ¡Cómo quiere que lo sepa! –se indignó.

–No lo sé –dijo Jeff encogiéndose de hombros.

–A ti no te cae bien, ¿verdad? –le preguntó Bradley.

–Bueno...

–¡La odio! –afirmó Bradley.

–Yo también –dijo Jeff–. ¡La odio!

–¿Quieres que nos metamos en el baño de las chicas?
–preguntó Bradley sonriendo con su extraña sonrisa.

–¿Ahora? –se asombró Jeff.

–¿Por qué no?

–Bueno, quizá no sea el mejor momento –dijo Jeff.

–¿Por qué?

Jeff se quedó pensativo.

–No habrá ninguna niña allí ahora –dijo finalmente–. Se vuelven todas a sus casas para usar sus propios cuartos de baño.

–Es verdad –asintió Bradley–. Bien pensado. Podemos ir mañana en el recreo.

Jeff esbozó una sonrisa. Doblaron la esquina.

–Hola, Jeff –saludó Lori Westin.

–Hola, Jeff –saludó Melinda Birch.

–Hola, J... –dijo Colleen tan bajito que no se oyó el «eff».

Le estaban esperando. Y habían logrado averiguar cómo se llamaba.

–Hola, hola, hola –saludó Jeff poniéndose rojo como un tomate.

Lori se rio. Luego, las tres niñas se marcharon rápidamente.

–¡Niñas estúpidas! –dijo Bradley.

–Sí –murmuró Jeff.

–¡Las odio! –afirmó Bradley.

–Yo también –dijo Jeff.

–¿Por qué las saludas?

–Ellas me han saludado a mí primero –contestó Jeff.

–¿Y qué?

–Cuando alguien me saluda, siempre contesto –explicó Jeff encogiéndose de hombros.

–¿Por qué?

–No lo sé. No lo puedo evitar. Es como cuando alguien te dice «gracias». ¿No contestas automáticamente «de nada»?

–No.

–Yo sí –dijo Jeff encogiéndose nuevamente de hombros–. Debe de ser como un reflejo, como cuando vas al médico y te da golpecitos en la rodilla y se te levanta la pierna. No lo puedes evitar. A mí me pasa lo mismo cuando me dicen «hola»; siempre tengo que contestar.

Bradley intentó comprender lo que le ocurría a Jeff.

–Ya sé lo que puedes hacer –le sugirió–: la próxima vez que una de esas niñas te diga «hola», le das una patada.

11

Una SEMANA MÁS TARDE, seguían sin haberse metido en el baño de las chicas. Jeff siempre daba una buena razón para que Bradley comprendiera que no era el momento adecuado. Durante el recreo de la mañana, decía que era conveniente esperar hasta el mediodía, cuando las niñas hubieran comido. Luego, tras el almuerzo, tampoco era el mejor momento porque las niñas no habían tenido tiempo de hacer la digestión. Escuchando a Jeff, cualquiera diría que las niñas nunca tenían que ir al baño.

Pero Bradley jamás se había sentido tan feliz. Estaba encantado de tener un amigo. Incluso empezaba a gustarle el colegio.

Jeff tenía dos estrellas junto a su nombre. Cuando Bradley las miraba, se sentía orgulloso, casi tan orgulloso como si se las hubieran puesto a él.

–¿Qué quieres hacer? –preguntó Jeff.

–Nada –contestó Bradley.

Estaban en el recreo del mediodía. Habían terminado su almuerzo y estaban sentados en la hierba.

–¿Te ha dicho alguna estupidez la psicóloga hoy? –preguntó Bradley.

Jeff dudó. Miró hacia el suelo y luego declaró con valentía:

–Me cae bien.

Bradley se quedó pasmado.

–Me ha dicho que a mí me puede caer bien aunque tú la odies –afirmó Jeff–. Eso no significa que tú y yo dejemos de ser amigos. No tenemos que estar de acuerdo en todo. Me dijo que la amistad es más fuerte cuando se comparten opiniones diferentes.

–¿Tú le dijiste que yo la odiaba? –preguntó Bradley.

Jeff afirmó con la cabeza.

–Bien.

–Solo que no me creyó –añadió Jeff.

–Es muy rara –dijo Bradley–. Nunca se cree nada de lo que le dicen. Voy a dejar de verla.

–Me ha dicho que no era necesario que fueras. Le he dicho que no irías hoy y me ha dicho que no le importaba, que no tenías que hacer nada que no quisieras.

Bradley se dio media vuelta y miró en la dirección del despacho de la psicóloga.

–Es uno de sus trucos –afirmó.

–Bueno, entonces ¿qué quieres que hagamos? –preguntó Jeff.

–Nada.

En ese momento vieron que una pelota de baloncesto botaba fuera de la cancha y rodaba hacia ellos.

–¡Eh, Fisiquín, tírala aquí! –gritó Robbie, un niño de su clase.

–Dale una patada bien lejos –le urgió Bradley.

Jeff hizo un tiro limpio que cayó en las manos de Robbie.

–Tendrías que haberla mandado al tejado –dijo Bradley.

–A lo mejor nos dejan jugar –dijo Jeff–. Vamos a preguntárselo.

–No, no quiero –dijo Bradley negando con la cabeza.

Jeff se quedó de pie mirando cómo los chicos jugaban al baloncesto y luego se sentó de nuevo junto a Bradley.

–¡Vaya! –exclamó Bradley–. Por ahí vienen otra vez esas niñas. Intenta no decirles «hola».

–Hola, Jeff –dijo Lori.

–Hola –respondió Jeff.

–Hola –dijo Melinda.

–Hola –contestó Jeff.

–Hola, Jeff –murmuró Colleen.

–Hola –murmuró Jeff.

Lori se rio mientras las tres se alejaban.

Jeff se encogió de hombros.

–No lo puedo evitar –explicó con voz triste.

–Pues vamos a pegarles –dijo Bradley–. Así no volverán a decirte «hola» nunca jamás.

Bradley empezó a perseguirlas, pero Jeff no se movió de donde estaba.

–Vamos, Jeff –le urgió Bradley–. Está tirado pegar a las niñas. Solo tienes que pegarles una vez para que se pongan a llorar y se vayan corriendo.

–Ahora no –dijo Jeff.

–¿Por qué no?

–Nos verá todo el mundo y nos meteremos en un buen lío.

Bradley se detuvo.

–Tienes razón –dijo–. Las pillaremos después de clase.

–No puedo –contestó Jeff–. Tengo que ir derecho a casa para hacer los deberes.

Bradley empezaba a hartarse.

–Te pasas la vida haciendo deberes –dijo con los brazos en jarras y pronunciando la palabra «deberes» como si dijera «mierda».

Jeff se encogió de hombros.

–¿Te gusta hacerlos? –le preguntó Bradley.

–Bueno, no me importa demasiado –dijo Jeff. Bradley dio una patada al suelo.

–¿Crees que si yo hiciera los deberes la señorita Ebbel me pondría una estrella dorada? –le preguntó.

–No creo que ponga estrellas doradas solo por hacer los deberes –replicó Jeff–. Aunque puede que sí.

–A lo mejor debería hacerlos algún día –dijo Bradley.

–¿Por qué no te vienes a casa hoy después del colegio? –le preguntó Jeff–. Podríamos hacerlos juntos.

La cara de Bradley se retorció en un gesto de angustia.

–¿Hoy? No creo que hoy sea un buen día para hacer deberes –dijo.

–Puedo ayudarte y... –empezó a decir Jeff. Se calló de repente–. Tú me podrías ayudar con las cosas que no entiendo –añadió tras unos segundos.

–¡Vale! –exclamó Bradley–. Te ayudaré.

–¡Genial! –dijo Jeff.

–Primero daremos una paliza a esas niñas y luego iremos a tu casa para hacer los deberes.

12

JUSTO ANTES DE QUE SE ACABARA el recreo del mediodía, alguien llamó muy flojo a la puerta del despacho de la psicóloga.

–Entra –dijo Carla.

Una niña se asomó tímidamente.

–¿Eres la señorita Davis? –preguntó.

–Sí, pero prefiero que me llamen Carla.

–¿Tengo que decirte cómo me llamo? –preguntó la niña.

–No, si no quieres.

–Colleen Verigold –dijo la niña. Se sentó en una de las sillas que había alrededor de la mesa y espetó–: No sé a quién invitar a mi fiesta de cumpleaños.

Carla permaneció de pie.

–Hay un chico al que me gustaría invitar –siguió Colleen–. ¿Tengo que decirte cómo se llama?

–No.

–Jeff Fishkin.

Carla sonrió.

–Pero si invito a Jeff tendré que invitar a otro chico porque no puedo invitar a siete niñas y a un solo niño, ¿verdad? –añadió Colleen.

–No creo que...

–El problema es que Jeff solo tiene un amigo que es el niño más malo y horrible de todo el colegio. ¡No puedo invitar a Bradley Chalkers a mi cumpleaños! ¡De verdad que no puedo! –respiró hondo y preguntó–: ¿Qué hago?

–¿Quieres que yo te diga a quién invitar a tu cumpleaños?

–Lori me ha dicho que tú solucionas nuestros problemas.

–Lori soluciona sus propios problemas. Yo solo la ayudo a pensar por su cuenta.

–¡Pero es que no sé qué pensar! –exclamó Colleen–. No puedo invitar a siete niñas y solo a un niño. ¡Y no puedo invitar a Bradley Chalkers!

–¿Cuándo es tu cumpleaños?

–El trece de noviembre.

–Entonces aún tienes un montón de tiempo –respondió Carla–. Déjame que te dé una autorización para que la firmen tus padres. En este momento, sin su permiso, ni siquiera tengo derecho a hablar contigo.

–Eso es una estupidez.

–No, no lo es –contestó Carla–. Algunos padres no quieren que un extraño dé consejos a sus hijos.

–Pero a mis padres no les importará –dijo Colleen–. Me han dicho que puedo invitar a quien quiera a mi cumpleaños.

–Ese no es el problema –respondió Carla entregando a Colleen la hoja.

Colleen la cogió con desgana.

–¿No me lo puedes murmurar al oído? –preguntó.

Carla negó con la cabeza.

Melinda y Lori estaban esperando a Colleen a la salida.

–¿A quién vas a invitar? –preguntó Melinda.

–A Bradley no –dijo Lori–. Por favor, no invites a Bradley.

–Aún no lo sé –dijo Colleen–. No me lo dirá hasta que mis padres firmen esta autorización.

13

BRADLEY SE DIRIGIÓ hacia el despacho de Carla arrastrando los pies.

Ella le estaba esperando en el pasillo.

–Me alegro de verte hoy –dijo–. Aprecio mucho que vengas a verme –añadió tendiéndole la mano.

Bradley pasó de largo y se sentó a la mesa redonda. Carla se sentó enfrente.

–La razón por la cual el presidente no usa sombrero es porque las puertas son demasiado bajas –afirmó–. Solía usarlo, pero cada vez que pasaba por una puerta se daba con el sombrero y se le caía al suelo.

–Tiene sentido –accedió Carla–. Gracias por compartir esto conmigo, pero... –prosiguió bajando el tono– pensaba que no estabas autorizado para transmitirme información confidencial.

–El presidente dice que confía en ti –dijo Bradley.

–Gracias, Bradley –dijo Carla–. Me alegro de que confíes en mí.

Bradley la miró como si estuviera sorda. Él no había dicho que confiaba en ella; había dicho que el presidente confiaba en ella, pero decidió no decir nada.

Carla llevaba puesta una blusa amarilla cerrada con una fila de grandes botones verdes triangulares. A un lado de cada botón había un gran signo de exclamación blanco. Del otro lado había un gran signo de interrogación negro.

–Jeff también confía en ti –dijo.

–Sé que os habéis hecho amigos –dijo Carla.

–Soy su mejor amigo –afirmó Bradley.

–Eso es fantástico –dijo Carla.

–Hoy, después del colegio, vamos a hacer los deberes juntos. ¡En su casa! Voy a ayudarle con lo que no entiende.

–Eso es muy de agradecer –dijo Carla–. Estoy segura de que Jeff valora mucho tu amistad.

–Soy su único amigo –dijo Bradley.

–Incluso si tuviera otros amigos...

–No tendrá más amigos –la interrumpió Bradley.

–Eso no lo puedes saber.

–Sí que lo sé. Soy su único amigo.

–Pero imagínate que hiciera otros amigos.

–No quiero.

–Si hiciera nuevos amigos, entonces sus amigos podrían ser también amigos tuyos.

–No hará más amigos –dijo Bradley moviendo la cabeza de lado a lado.

–El que los dos seáis amigos no significa que no pueda tener otros amigos –explicó Carla.

–Sí que lo significa.

–¿Por qué?

–Porque –contestó con orgullo Bradley– mientras Jeff sea mi amigo no caerá bien a nadie.

• 14

Deberes. Después del colegio, Bradley Chalkers iba a ir a casa de Jeff Fishkin. Iban a hacer los deberes juntos. Bradley no se lo podía creer. Deberes. Sentado en su sitio, en el último pupitre de la última fila, solo podía pensar en eso mientras esperaba a que se acabaran las clases.

«A lo mejor no es tan horrible», se dijo. «Si Jeff los hace siempre... será que le gusta hacerlos».

Cuanto más pensaba en ello, más le gustaba la idea. Deberes, trabajo para hacer en casa. Salvo que él no los haría en su casa, los haría en casa de Jeff, y eso era aún mejor. Iría por primera vez a casa de Jeff.

Tras hacer los deberes, quizá la señorita Ebbel le pondría una estrella dorada. En vez de garabatear, se puso a dibujar estrellitas, una tras otra, hasta que sonó la campana.

Pero primero tenían que pegar a esas niñas.

–¡Hale, vámonos! –dijo saltando de su silla.

–Espera un segundo –dijo Jeff. Cogió un libro de su pupitre.

–¡Ah! ¿Necesito uno de esos? –preguntó Bradley. No había caído en la cuenta de que, si quería hacer los deberes, tendría que llevarse su libro de texto a casa.

–No importa. Podemos compartir el mío.

Salieron. Lloviznaba.

–Están en la clase de la señorita Sharp –dijo Bradley–. Podemos esperar aquí hasta que salgan y luego sorprenderlas por la espalda.

–¿De qué hablas?

–De esas niñas. Tenemos que pegarles para que no te vuelvan a saludar.

–Cuanto antes hagamos los deberes, mejor –dijo Jeff.

–No nos entretendremos mucho –aseguró Bradley–. En cuanto les pegas una vez, se ponen a lloriquear y salen corriendo.

–Pero está lloviendo –alegó Jeff cuando apenas caía una suave llovizna.

–¡Bien! Así podemos revolcarlas en el barro para que se les ensucie la ropa. A las niñas les espanta que se les ensucie la ropa.

Se quedaron a unos metros de la puerta de la clase de la señorita Sharp y esperaron. Salieron varios niños, pero no vieron a Colleen, a Lori ni a Melinda.

–A lo mejor ya se han ido a casa –deseó Jeff.

–No. Las niñas siempre tardan un montón en salir de clase –le explicó Bradley–. Primero tienen que guardar ordenadamente las hojas en las carpetas. Luego tienen que marcar por dónde van en sus libros y meter todos sus lápices en el estuche. Luego guardan todo en sus pupitres –afirmó, como si fueran las cosas más asquerosas que se pudiesen hacer–. ¡Shhh! Aquí vienen.

Melinda salió de la clase de la señorita Sharp seguida de Colleen y Lori.

Bradley se llevó el dedo a los labios y luego Jeff y él las siguieron a una distancia prudente a lo largo del edificio y luego por la acera de la calle del colegio.

–¿Por qué no lo dejamos y nos vamos ya a casa? –dijo Jeff–. Podemos tardar bastante en acabar los deberes.

–Las chicas dan patadas –le advirtió Bradley–. No saben dar puñetazos así que intentan darte patadas –aseguró mientras apretaba el paso para alcanzarlas. Jeff se quedó rezagado.

Lori fue la primera en darse la vuelta.

–¡Ajj! ¡Bradley Chalkers! –exclamó poniendo cara de asco.

–Lori lorito –espetó Bradley–, la niña más fea de todos los sitios.

Melinda y Colleen se detuvieron y también se dieron la vuelta.

–Deja de hacer el tonto, Bradley –dijo Melinda.

–Impídemelo –contestó.

–Hola, Jeff –dijo Colleen en voz baja.

–Hola –contestó Jeff.

–No vuelvas a decirle «hola» –ordenó Bradley.

–Estamos en un país libre –replicó Lori–. Podemos decir «hola» a quien queramos.

–A nosotros no –dijo Bradley.

–A ti no te hemos dicho nada –dijo Lori–. Solo le hemos saludado a él.

–Hola, Jeff.

–Hola –contestó Jeff.

Lori se rio.

–Anda, márchate –dijo Melinda.

–No, vete tú –dijo Bradley dando un empujón a Melinda.

Melinda le dio otro empujón a él. Bradley volvió a empujarla. Con el siguiente empujón, Melinda hizo retroceder a Bradley más allá del borde de la acera. Bradley se escurrió en la hierba mojada y cayó al suelo. Lori empezó a reírse como una histérica. Bradley se puso en pie furioso.

–¡Por tu culpa me he ensuciado! –recriminó a Melinda.

–Bradley se ha mojado los pantalones –se rio de él Lori, escondida detrás de Melinda.

–¡Cállate! –gritó Bradley.

–Has empezado tú –dijo Melinda.

–Te voy a dar un puñetazo –la amenazó Bradley con los puños cerrados.

Melinda también cerró los puños.

Bradley se abalanzó sobre ella y le dio una patada en la pierna.

Ella le arreó un puñetazo en toda la cara.

Bradley salió despedido hacia atrás y estuvo a punto de caerse, pero logró mantener el equilibrio.

Miró fijamente a Melinda y se le llenaron los ojos de lágrimas.

–¡Es injusto! ¡Cuatro contra uno! –gritó antes de echar a correr hacia su casa.

15

–¡Mi pobre chiquitín! –exclamó la madre de Bradley mientras le rodeaba con sus brazos inmensos.

Bradley había dejado de llorar al poco de alejarse corriendo de Melinda, pero había empezado otra vez al ver a su madre.

–Me han pegado y me han tirado al barro –gimoteó.

Su madre le limpió la cara con un pañuelo de papel que guardaba en la manga.

–Vamos –le consoló, y le llevó de la mano por el pasillo hasta el cuarto de baño–. Con un buen baño caliente y ropa limpia te sentirás como nuevo.

Claudia estaba en el cuarto de baño peinándose.

–¿Qué le ha pasado? –preguntó.

–Unos gamberros se han metido con él a la salida del colegio.

–Eran cuatro –dijo Bradley–. Y además me han roto los deberes.

–Has estado llorando –le humilló Claudia.

–Es la lluvia –se justificó Bradley.

Claudia empezó a decir algo, pero su madre le ordenó salir del cuarto de baño. Puso la ropa limpia de su hijo en la encimera del lavabo y llenó la bañera.

Después de bañarse, Bradley se fue a su cuarto.

Llegó por los pelos: Roni, la coneja, estaba dando saltos por la cama cantando «do di, do di, do di» cuando de repente se encontró perdida.

–¿Dónde estoy? –preguntó.

En ese momento, surgieron tres malvados que empezaron a perseguirla. Eran el dos de picas, el nueve de corazones y el rey de diamantes. El rey de diamantes era el jefe de la banda.

–¡A por ella! –ordenó.

–¡Socorro! –gritó Roni, corriendo hasta el borde de la cama. Un acantilado le impedía la huida. ¡Estaba atrapada! El suelo se encontraba a cientos de metros. Los malvados la rodearon, listos para atacarla.

–¡Dejadme! –gritó, y luego cayó de la cama al suelo, pero sin querer. Bradley la cogió y la volvió a poner en el borde la cama. Eso no había ocurrido, era tiempo muerto.

–¿Qué me vais a hacer? –preguntó Roni, temblando en el borde del acantilado.

–Vamos a matarte –contestó el rey de diamantes.

–De ninguna manera –respondió una voz que venía de detrás.

Era Bartolo.

–A por él, chicos –ordenó el rey de diamantes.

Las cartas se abalanzaron sobre Bartolo.

Bartolo dio un puñetazo en la tripa al dos de picas, lo volteó sobre su cabeza y lo arrojó por el acantilado.

–¡Ahhhhhh! –gritó el dos de picas mientras se precipitaba miles de metros en su mortal caída.

A continuación, Bartolo le propinó una paliza al nueve de corazones.

–¡Reúnete con tu amigo! –gritó mientras lo arrojaba por el acantilado.

–¡Ahhhhh! –gritó el nueve.

Ahora solo quedaba el rey de diamantes. Este se acercó a Bartolo blandiendo un hacha.

–¡Voy a cortarte la cabeza! –amenazó.

Bartolo se agachó, dio una patada al hacha y la mandó volando por los aires; después le arreó un puñetazo en la cara al rey y lo arrojó por el acantilado.

Roni corrió hacia Bartolo.

–Me has salvado la vida –le agradeció.

–Lo sé –dijo Bartolo.

Se besaron.

Claudia entró en la habitación.

–Mamá está haciendo galletas porque te han pegado –dijo–. ¡Jo, se te va a poner un ojo morado!

–No me han pegado –replicó Bradley–. Les he pegado yo a ellos. A uno le he puesto los dos ojos morados, y al otro, tres.

–No le puedes poner a nadie tres ojos morados –dijo Claudia.

–¡Cállate o te pongo cuatro ojos morados!

Claudia se encogió de hombros y salió de la habitación. Bradley se levantó de la cama y fue a la cocina. Allí estaba su madre haciendo galletas de chocolate. Dejó que Bradley chupara la cuchara.

–Quiero que me digas cómo se llaman los niños que te han hecho esto –le dijo–. Voy a llamar al director.

Bradley se quedó pensativo un momento. Luego respondió:

–No me sé el nombre de todos.

–No tengas miedo; no volverán a hacerte daño –le aseguró su madre.

Tras pensárselo unos instantes, Bradley dijo:

–El cabecilla es Jeff Fishkin.

–Llamaré a tu colegio mañana a primera hora –dijo su madre.

–¡Me alegro! –respondió Bradley–. Espero que le castiguen. Le odio.

16

Bradley caminaba despacio, tapándose el ojo con la mano para que nadie le viera. Su madre le habría dejado quedarse en casa, pero su padre no lo había consentido.

—Está asustado —aseguró su madre—. Unos gamberros se han estado metiendo con él.

—No solucionarás el problema sobreprotegiéndolo —respondió su padre—. Tiene que aprender a dar la cara y defenderse solo. Los gamberros se meten con él porque saben que tiene miedo.

Bradley tenía miedo, pero no de los gamberros. Tampoco tenía miedo de Melinda. La que le aterraba era la pequeña Lori Westin. Se la imaginaba en el medio del patio chillando con su inmensa boca para que todo el colegio la oyera decir: «¡Bradley Chalkers es un llorica! ¡Melinda le ha pegado y ha llorado como una niña!».

Bradley atravesó cautelosamente el patio del colegio, tapándose el ojo con la mano, y entró en la clase de la señorita Ebbel. Se sentó en el último pupitre de la última fila.

La silla de Jeff estaba vacía.

«Bien», pensó, sin quitarse la mano del ojo. «Seguro que le han echado del colegio».

Con el ojo sin tapar contempló el corcho con estrellas en la pared más próxima a su sitio. Se alegró de no tener ninguna. Pensó que las estrellas eran feísimas.

La señorita Ebbel estaba explicando la diferencia entre los adjetivos y los adverbios cuando de repente se detuvo y le preguntó a Bradley:

–Bradley, ¿te ocurre algo en el ojo?

–No –contestó Bradley.

–Entonces haz el favor de quitarte la mano.

–No puedo –respondió.

–¿Por qué?

Bradley intentó inventarse a todo correr una razón para no destaparse el ojo. Se le ocurrieron miles de ideas. Finalmente dijo:

–Tengo la mano pegada.

–¿Has dicho «pegada»? –preguntó la señorita Ebbel.

–Estaba pegando una cosa y se me ha caído pegamento en la mano y luego me he tocado sin querer la cara y se me ha quedado la mano pegada.

–¡Bradley, haz el favor de quitarte la mano del ojo!

Bradley se agarró la muñeca con la mano libre e hizo como si quisiera despegarse la mano.

–No puedo. Está pegada –respondió.

–¿Quieres ir al despacho del director? Se le da muy bien despegar cosas –dijo la señorita Ebbel.

–Espera, creo que se me está empezando a despegar –dijo Bradley tirando de una mano con la otra. Tenía un círculo negro amoratado alrededor del ojo.

Durante unos segundos nadie dijo nada. Luego, todos empezaron a hablar al mismo tiempo.

–¿Qué te ha pasado? –le preguntó la señorita Ebbel, pero rápidamente cambió de opinión y dijo–: Da igual. No quiero saberlo.

Ordenó a la clase que se diera media vuelta y siguió hablando de adverbios y adjetivos.

Jeff entró tarde. Le dijo algo a la profesora y luego se sentó junto a Bradley.

Bradley miró hacia el otro lado, hacia el corcho lleno de estrellas doradas. Las más feas eran sin duda las de Jeff.

Por primera vez, Bradley deseó estar sentado delante. Así solo la señorita Ebbel podría ver su cara. Ahora todo el mundo podía darse la vuelta y mirarle descaradamente. La señorita Ebbel se pasó toda la mañana repitiendo una y otra vez que sus alumnos se dieran la vuelta y miraran al frente.

En cuanto sonó la campana del recreo, Bradley salió tapándose el ojo con la mano. Se fue hasta el lugar más alejado del patio para que nadie le molestara. Pero corrió la voz de que Bradley Chalkers tenía un ojo morado y no dejaban de pasar chavales junto a él para intentar echarle un vistazo.

–Melinda no pelea limpio –le dijo Jeff, acercándose por detrás–. Te pegó cuando no estabas mirando. Y además no podías devolverle el puñetazo porque es de mala educación pelearse con niñas.

–Sí –contestó Bradley girándose–. Le habría partido la cara si no hubiera sido una niña. Pero esa tonta seguro que ha ido contando por todo el colegio que me ganó.

–No, no creo que se lo haya dicho a nadie. Cuando te fuiste, me pidió que no le contara a nadie lo que había pasado. Y también les hizo prometer a Lori y a Colleen no decir nada.

–A lo mejor tiene miedo de que le parta la cara –dijo Bradley.

–A lo mejor –contestó Jeff–. Esta mañana me ha mandado llamar el director. Pensaba que era yo quien te había pegado.

–¿Qué le has dicho? –preguntó Bradley.

–Le he dicho que eras mi mejor amigo –respondió Jeff encogiéndose de hombros.

–El director es tonto –dijo Bradley.

17

Jeff y Bradley comieron juntos fuera, en un lateral del edificio del colegio donde no los molestó nadie.

–Vuelvo enseguida –dijo Jeff poniéndose en pie–. Tengo que ir al baño.

–¿A cuál? –le preguntó Bradley.

–Al de chicos –respondió Jeff.

–¡Bah! –dijo decepcionado Bradley–. Entonces te espero aquí.

Tuvo que esperar mucho tiempo.

–¡Hola, Jeff! –le saludó Robbie a la salida del baño.

–¿Me hablas a mí? –preguntó Jeff sorprendido. Hasta entonces Robbie, burlándose de su apellido, le había llamado siempre Fisgón o Fisiquín.

–Ven –le dijo Robbie. Estaba rodeado de un grupo de chicos. Jeff reconoció a unos de su clase, pero los demás no le sonaban. Uno de los niños tenía una pelota de baloncesto.

–Hola, Jeff –le saludó Brian, un niño de su clase.

–Hola, Brian –respondió.

–¿Cómo te va, Jeff? –le preguntó Russell.

–Bien.

–Es Jeff Fishkin –le presentó Robbie a los niños que no eran de su clase–. Es el chaval que le ha puesto el ojo morado a Chalkers.

–¡Bien hecho, Jeff! –le felicitó uno de los chicos que no conocía.

–¡Genial, Jeff! –exclamó otro.

–¡Jo, tío, lo que hubiera dado por verte hacerlo! –dijo otro.

–Tío, cuando he visto el ojo de Bradley se me ha puesto una sonrisa... –dijo Robbie–. Y luego me he enterado de que te había mandado llamar el director. Inmediatamente he pensado: «Bien hecho, chaval».

–¿Te la has cargado, Jeff? –le preguntó Dan.

Jeff negó con la cabeza.

–A lo mejor le han dado una medalla –dijo Russell riéndose.

Los demás también se rieron.

–¿Quieres jugar al baloncesto? –le preguntó Andy, el chico que sujetaba la pelota.

–¡Sí! –dijo Jeff.

Hicieron equipos. Los capitanes eran Andy y Robbie. Este último eligió primero.

–Me pido a Jeff –dijo.

Jeff estaba feliz.

Jugaron al baloncesto durante el resto del recreo. Ganó el equipo de Jeff, pero tenía cinco jugadores mientras que el otro tenía solo cuatro.

Todos le dijeron que había jugado genial.

–No me explico qué hace un tío como tú con un chaval como Chalkers –le dijo Robbie–. Supongo que se tarda un tiempo en descubrir quiénes son tus amigos de verdad.

Jeff sonrió. Aquellos chicos eran como los amigos que había tenido en su colegio anterior, en Washington D. C.

Sabía que ahora ya no podría ser amigo de Bradley, pero... Jeff se encogió de hombros.

18

BRADLEY vio el final del partido de baloncesto de Jeff asomando la cabeza por la esquina del edificio de ladrillo. Cada vez que Jeff tiraba para encestar, Bradley rezaba para que fallara. En cuanto sonó la campana, se marchó corriendo a clase, para entrar antes que Jeff y los demás.

Se sentó en su mesa, el último pupitre de la última fila, y sacó el primer libro de texto que encontró. Clavó la vista en él mientras Jeff se sentaba a su lado.

«A lo mejor no pasa nada porque Jeff tenga otros amigos», decidió mientras pasaba una página. «Yo sigo siendo su mejor amigo. Se lo dijo al director. Y Jeff no le contaría una mentira. A lo mejor yo también podré jugar al baloncesto con sus nuevos amigos, como dijo Carla».

–Jeff... –chistó.

Jeff no levantó la cabeza de su trabajo.

«Jeff trabaja un montón», pensó Bradley. «Por eso le ponen todas esas estrellas doradas».

Bradley tuvo que esperar hasta que terminaran las clases.

–¡Oye, Jeff! –le llamó nada más sonar la campana.

Jeff cogió sus libros y se dirigió hacia la puerta.

–¡Jeff, espérame! –insistió Bradley corriendo tras él.

Jeff se detuvo y se dio la vuelta lentamente.

Bradley se sintió de pronto muy nervioso.

–¿Quieres que hagamos los deberes juntos? –le preguntó–. Puedo ir a tu casa si quieres o puedes venir tú a la mía. Podemos usar mi libro. Mira –dijo enseñándoselo.

–¡Quita del medio, Chalkers! –dijo Robbie mientras él y Brian le daban un empujón al pasar a su lado.

–¡Chalkers, gallina! –le insultó Brian.

–¡Jo, Chalkers! –dijo Jeff.

Bradley se alejó oyendo las risas de Jeff y de sus nuevos amigos.

Pero cuando llegó a casa, sus amigos se pusieron muy contentos de verle.

–¡Qué bien que hayas vuelto a casa! –dijo Roni–. Te echábamos de menos. Nos alegramos de que no hayas ido a casa de Jeff.

–¡Eres nuestro mejor amigo! –dijo Bartolo.

–¡Viva Bradley! –gritó el hipopótamo de madera–. ¡Es un muchacho excelente, es un muchacho excelente...!

–¡Y siempre lo será! –cantaron los demás animales.

–¡Es un muchacho excelente, es un muchacho excelente...!

–¡Y siempre lo será!

–¿Por qué no jugamos a algo? –sugirió el burro.

–¿A qué queréis jugar? –preguntó Roni.

–A lo que sea, menos al baloncesto –dijo Bartolo–. Odio el baloncesto.

–Es un deporte muy tonto –asintió Roni.

–Es el deporte más estúpido del mundo –dijo el hipopótamo.

–No entiendo cómo alguien puede querer jugar al baloncesto –se rio el burro de marfil.

Todos los demás animales también se rieron.

19

TODO VOLVIÓ A LA NORMALIDAD.

Bradley garabateaba, cortaba trocitos de papel y unía cosas con cinta adhesiva. Odiaba a todo el mundo y todo el mundo le odiaba a él. Así estaba a gusto.

Se le abrían las carnes cada vez que recordaba que casi había llegado a hacer los deberes. ¡No se le ocurría nada más espantoso!

Y se alegraba de que Jeff ya no fuera su amigo. Estaba mejor sin amigos. De hecho, nunca había sido amigo de Jeff, solo había fingido serlo.

Decidió que nunca más se haría pasar por amigo de nadie.

Jeff ya era normal también. Eso es lo que le contó a Carla. Fue hasta su despacho y anunció:

–Ya no necesito ayuda. Ahora tengo ocho amigos. Jugamos al baloncesto en todos los recreos y yo soy el mejor jugador.

–¡Cuánto me alegro, Jeff! –dijo Carla–. Estoy orgullosa de ti.

–¿Cuántos amigos has hecho tú? –preguntó Jeff.

–No llevo la cuenta –contestó Carla.

–Yo tengo ocho –repitió Jeff.

–Siempre he pensado que, en lo que a la amistad se refiere, es mejor la calidad que la cantidad –aseguró Carla.

–Ocho –repitió Jeff de nuevo–. Y ya no soy amigo de Bradley.

–Lo siento mucho.

–¿Por qué? Yo no. Le odio. Realmente –Jeff miró alrededor del cuarto–, fui yo quien le puso un ojo morado –miró de reojo a Carla para ver si sabía que estaba mintiendo y luego miró rápidamente hacia otro lado.

–¿Qué ocurrió? –preguntó Carla.

–Bueno, ya sabes, se pasaba todo el día molestándome. Yo no hacía más que repetirle que me dejara en paz, pero se me pegaba a todas horas. Nunca me cayó bien. No cae bien a nadie. Luego me dijo: «Dame un dólar o te escupo». A mí nadie me amenaza y se sale con la suya. No se lo tolero a nadie, así que intentó pegarme. Pero yo me agaché y luego le di un puñetazo en el ojo. No quería hacerlo, pero no me quedó más remedio.

Esta era la versión corta. Jeff había contado la misma historia, pero más larga y adornada, a sus ocho nuevos amigos.

–Así que creo que, ahora que ya tengo ocho amigos, no necesito tu ayuda –concluyó Jeff.

–De acuerdo, Jeff. Si realmente piensas así.

–A lo mejor piensan que soy raro o que me pasa algo –explicó.

–No podemos permitir que piensen eso –contestó Carla.

–Entonces, ¿me puedo ir?

Carla afirmó con la cabeza y luego dijo:

–Pero si alguna vez tienes ganas de hablar conmigo, no dejes de venir a verme –y añadió sonriendo–: aunque solo sea para escaparte de clase un ratito.

Cuando Jeff se marchó, sintió que se le quitaba un peso de encima.

De vuelta a clase, pasó por el baño de las chicas. Se detuvo ante la puerta, sacudió la cabeza y se rio. Le parecía que había pasado una eternidad desde que se había equivocado y entrado en él.

«¡Qué bobo era entonces!», se dijo.

Y sonrió con una sonrisa extraña. Tenía los labios tan tensos que era difícil saber si realmente sonreía o era una mueca de disgusto.

20

Colleen entró en el despacho de Carla.

–Solo vengo a decirte que no puedo hablar contigo –le dijo.

–¿No te han firmado la autorización tus padres? –preguntó Carla.

–Ni la han firmado ni la firmarán. ¿Sabes lo que me dijeron? Pues que el colegio estaba tirando el dinero al contratarte. Que tendrías que casarte y tener tus propios hijos antes de empezar a aconsejar a otros padres cómo tienen que educar a los suyos.

Carla se encogió de hombros.

–Me dijeron que si tenía algún problema con quien tenía que hablar era con ellos. Pero cuando intento hablar con ellos no me escuchan –Colleen suspiró–. De todas formas, da igual. Ahora Jeff tiene muchos más amigos, no solo a Bradley.

–Ocho –contestó Carla sonriendo.

–Así que ahora puedo invitar a Jeff a mi fiesta de cumpleaños sin tener que invitar a Bradley. Puedo invitar a otro amigo de Jeff. Andy es muy simpático.

No podría invitar a Bradley aunque quisiera porque Melinda es mi mejor amiga, después de Lori, y le dio a Bradley un puñetazo en el ojo.

Colleen se llevó rápidamente la mano a la boca y luego la bajó muy despacio.

–No tendría que habértelo contado, era un secreto –dijo–. Melinda no quiere que nadie se entere.

–Nunca cuento nada de lo que me cuentan –la tranquilizó Carla.

–¡Menos mal! –exclamó Colleen–. Melinda me mataría...

–¿Has invitado ya a Jeff a tu fiesta? –preguntó Carla.

–No, aún no, pero lo haré. Sé que le caigo bien porque siempre me saluda cuando le digo «hola». Pero luego me entra tanto miedo que no sé qué decir después. ¡Me gustaría tanto que me ayudaras! No entiendo cómo mis padres pueden decir cosas tan feas de ti... ¡Ni siquiera te conocen!

–Tus padres solo hacen lo que creen que es lo mejor para ti –respondió Carla–. Hay mucha gente que cree que en los colegios no debe haber psicólogos –Carla se encogió de hombros–. Supongo que tienen miedo de que os llenemos la cabeza de ideas raras.

21

–Hola, Bradley –saludó Carla–. Me alegro de verte. Te agradezco que hayas venido –añadió tendiéndole la mano.

–Yo mismo me di un puñetazo en el ojo –contestó el chico pasando de largo. No quería que Carla pensara que alguien le había pegado–. Solo yo puedo pegarme, nadie más.

–¿Te dolió? –preguntó Carla.

–No –contestó tomando asiento en la mesa redonda–. Nadie puede hacerme daño; ni siquiera yo.

Carla se sentó frente a él. Estaba vestida con una blusa azul claro con ratoncitos amarillos. El fondo de la blusa era del mismo color que sus ojos. Los ratoncitos eran del mismo color que su pelo.

–Quería pegar a alguien –explicó Bradley mientras miraba fijamente la blusa de Carla–. Pero, si me hubiera peleado con otro, me la habría cargado, así que me pegué a mí mismo.

–¿Por qué querías pegar a alguien? –preguntó Carla.

–Porque los odio.

–¿A quién odias?

–A todo el mundo.

–¿Por eso te pegaste? ¿Te odias a ti mismo? –preguntó Carla.

Bradley no contestó. Pensó que era otra de sus preguntas capciosas.

–¿Te caes bien? –siguió Carla.

Tampoco se fio de esa pregunta.

–A lo mejor no te cae bien nadie porque en el fondo no te caes bien a ti mismo.

–Yo me caigo bien –contestó Bradley–, pero tú me caes mal.

–Dime algunas cosas que te gustan de tu forma de ser.

–No puedo seguir hablando –contestó Bradley.

–¿Por qué? –preguntó Carla.

–Estoy malo. El médico me ha dicho que no debo hablar. Cuanto más hable, peor me pondré.

–Entonces tiene que ser muy grave.

–Sí, lo es. Creo que ya he hablado demasiado y la culpa es tuya. A lo mejor vomito.

Carla asintió con la cabeza.

–No digas ni una palabra más –dijo en voz baja–. Nos quedaremos sentados juntos en silencio. A veces las personas averiguamos muchas cosas unas de otras estando simplemente sentadas juntas en silencio.

Carla hizo como si se cerrara la boca con una llave y luego se la tragara.

–Eres muy rara –le dijo Bradley.

–Me lo dice mucha gente –admitió Carla. Luego se llevó el dedo índice a los labios.

Se quedaron juntos en silencio. Bradley se revolvía en la silla. Sus ojos miraban incesantemente de un sitio a otro del cuarto. Juntó las manos detrás de la cabeza y se apoyó en ellas echándose hacia atrás. Luego estiró los brazos hacia delante y los cruzó. Luego los descruzó.

No le gustaba nada estar sentados juntos en silencio. Pensó que probablemente estaba averiguando demasiadas cosas sobre él.

–A lo mejor puedo hablar un poco –dijo.

–No, no quiero que te pongas malo –contestó Carla–. Me caes demasiado bien.

–El doctor dice que puedo hablar un poco, pero sin pasarme.

–De acuerdo. ¿Quieres que hablemos del colegio? –preguntó Carla.

–¡No! ¡El médico dice que si hablo del colegio me moriré! –exclamó Bradley.

Carla frunció el ceño.

–Pues tenemos un problema –dijo–. Una parte de mi trabajo es ayudaros a mejorar vuestro rendimiento escolar, pero ¿cómo voy a ayudarte si ni siquiera podemos hablar de ello?

Bradley apoyó la barbilla en la mano y se quedó pensativo.

–¡Ya lo sé! –exclamó–. Solo tienes que decir a todo el mundo que tú quisiste ayudarme, pero yo no te dejé. Di que yo soy demasiado malo y tonto. Eso es. Di que te dije que te escupiría.

–¡Oh, no! –exclamó Carla–. No podría decir eso de ti. Me caes demasiado bien.

–Te creerán –le aseguró.

–No me importa que me crean o no –contestó Carla–. Yo sabré que es una mentira.

–¿Y qué?

–Pues que, cuando dices una mentira, a la única persona a la que engañas de verdad es a ti mismo.

Bradley no le encontraba nada malo a eso. Pensaba que si solo se mentía a sí mismo, y sabía que era una mentira, entonces no importaba.

–Solo me gustaría saber por qué un chico tan inteligente como tú suspende continuamente.

–Es porque le caigo mal a la señorita Ebbel –se justificó Bradley.

–¡Shhh! –dijo Carla–. No hables de eso.

–Bueno, a lo mejor puedo hablar un poquito del colegio sin morirme –dijo Bradley.

–De acuerdo –contestó con voz de duda Carla–. Pero en cuanto te sientas aunque solo sea un poquito moribundo, dímelo y dejamos de hablar.

Hablaron del colegio durante unos quince minutos antes de que Bradley se sintiera fatal. Carla le dijo que las preguntas que les ponían en los controles eran las mismas que tenían en sus deberes. Le sugirió que, si hacía los deberes, los controles le resultarían fáciles.

–Los controles son muy fáciles –respondió Bradley–. Podría sacar sobresalientes en todos si quisiera. Soy el mayor de la clase. Contesto mal todas las preguntas aposta.

–¿Quieres saber lo que pienso? –preguntó Carla–. Pienso que te gustaría sacar buenas notas. Pienso que la única razón por la que dices que quieres suspender es porque te da miedo intentarlo. Te da miedo intentarlo y no conseguirlo.

–A mí nada me da miedo –respondió Bradley.

–Creo que te temes a ti mismo –dijo Carla–. Pero no debes tenerte miedo. Confío plenamente en ti, Bradley. Sé que, si quieres, puedes hacerlo muy bien. Yo puedo ayudarte. Podemos ayudarnos el uno al otro. Podemos intentarlo juntos.

Fue entonces cuando Bradley dijo que no podía seguir hablando del colegio porque estaba poniendo su vida en peligro.

Ella le agradeció todo lo que le había contado.

–Has sido muy valiente –le felicitó. Luego le sugirió que hiciera una lista de todos los temas de los que quisiera hablar para que no cayeran de nuevo en el tema del colegio.

–¿Me estás poniendo deberes? –preguntó Bradley.

–¡Nooo! –le tranquilizó Carla–. Ni siquiera tienes que poner tu nombre en la hoja.

–Bien –contestó Bradley, feliz de que no fueran deberes.

Era hora de volver a clase.

–Gracias por haber compartido tanto conmigo hoy –le dijo Carla–. He disfrutado mucho con tu visita –añadió tendiéndole la mano.

Bradley se metió las manos en los bolsillos y salió del despacho.

22

Bradley se pasó toda la semana pensando en su lista de temas para hablar con Carla.

«No son deberes», se decía a sí mismo. «Es más, son todo lo contrario. Porque si se me ocurren muchos temas, no tendremos que hablar de los deberes».

Dejó de garabatear durante las clases. Escuchaba con atención a la señorita Ebbel y también a sus compañeros para sacar ideas para su lista. Además, la llevaba consigo fuera adonde fuera. Durante el recreo, estaba siempre con los ojos bien abiertos y aguzando el oído con la esperanza de captar nuevas ideas.

Los demás chicos se portaban con él peor que nunca. Ya no le tenían miedo. Le llamaban de todo y, cuando no reaccionaba, le insultaban con palabras aún más groseras.

Un niño de cuarto que quería hacerse el chulo delante de sus amigos fue corriendo hasta él y le dijo:

–No eres humano. ¡Eres un monstruo! ¡Eres un monstruo extraterrestre!

El niño se marchó corriendo, pero Bradley no le persiguió. Añadió tres temas nuevos a su lista: humanos, monstruos y extraterrestres.

El lunes era Halloween. La mayor parte de los chicos se llevaron un disfraz al colegio. Tenían permiso para disfrazarse en el patio al mediodía. Brian, uno de los amigos de Jeff, no llevó disfraz, así que cogió un rotulador negro de la señorita Ebbel y se pintó un círculo alrededor de un ojo. Al volver del recreo, dijo a todo el mundo que era un Bradley Chalkers.

Mientras todos se reían, Bradley seguía escribiendo su lista. Ya ocupaba tres hojas por las dos caras.

1. Árboles que pierden las hojas
2. Estrellas doradas
3. Tiza
4. Cinta adhesiva
5. ¿Son realmente cobardes las gallinas?
6. ¿Por qué se ríe la gente?
7. ¿Qué se siente cuando te dan un tiro en la pierna?
8. Lápices
9. Sacapuntas
10. Accidentes
11. Café
12. Colegio militar
13. Bastones
14. Baloncesto
15. Amigos
16. Enemigos

47. Odio
48. ¿Cuándo me saldrá barba?
49. Cosas que huelen mal
50. Cosas que te gustan de ti mismo
51. Cosas que no te gustan de ti mismo
52. Cosas mías que no gustan a nadie
53. Cosas que no me gustan de los demás
54. Estrellas doradas
55. ¿Tengo la cabeza como una ensaladera?
56. Armarios
57. Lugares donde esconderse
58. Sueños
59. Pesadillas
60. Me gustaría poder volar
61. Gafotas
62. Vasos
63. ¿Por qué unas personas caen bien
    y otras mal?
64. Romper cosas
65. Me gustaría ser invisible
66. Lloricas
67. ¿Qué te ocurre cuando envejeces?
68. Humanos
69. Monstruos
70. Extraterrestres
71. ¿Por qué es festivo el día de Halloween?
72. Piratas
73. Princesas
74. Fantasmas
75. ¿Qué te ocurre cuando te mueres?

76. ¿Qué pasaría si no hubieras nacido?
77. ¿Puedes ser tú otra persona?
78. ¿Podría yo ser otro?
79. Si yo fuera otro, no me burlaría de mí
80. Magia
81. Rotuladores

Esa tarde no fue por las casas pidiendo chuches ni golosinas, aunque Roni y Bartolo sí salieron. Los demás animales les dieron un montón de caramelos.

–Estoy haciendo una lista de temas para hablar con mi psicóloga –les contó–. ¿Se os ocurre alguna idea?

–¿Qué te parece hablar de conejos? –preguntó Roni.

–Muy bueno –dijo Bradley añadiendo «conejos» a su lista.

–Osos –sugirió Bartolo.

–Ese tema también es muy bueno –dijo Bradley.

Claudia entró de sopetón en la habitación.

Bradley escondió rápidamente la lista bajo la almohada de la cama.

–¿Qué te parece: «lo que te va a hacer papá cuando se entere de que estás perdiendo el tiempo»? –preguntó–. A mí me parece un buen tema.

–¿De qué estás hablando? –preguntó Bradley.

–De tu lista.

–¿Qué lista?

–¡Ah, no sé! –dijo Claudia, acercándose despacio hacia la cama y tirándose de repente sobre la almohada.

Bradley también se tiró sobre ella, pero Claudia llegó antes. Cogió la lista y la alzó sobre su cabeza para po-

der leerla sin que Bradley se la quitara. Se desternillaba de risa cada vez que terminaba de leer una página.

–¿De qué te ríes? –preguntó Bradley.

–De tu lista.

–¿Qué te hace tanta gracia?

–No son temas para hablar con una psicóloga –se burló Claudia.

–¿Y tú qué sabes? –se indignó Bradley.

–¿Tiza? ¿Qué vas a contar sobre la tiza?

–¡Un montón de cosas! –se defendió Bradley.

Claudia se echó a reír.

–Pito, pito, gorgorito... Tu psicóloga se va a poner furiosa cuando vea esto.

–Dámela –ordenó Bradley.

–Sí –respondió Claudia, como si le hubiera hecho una pregunta.

–Sí ¿qué? –dijo Bradley.

–Sí, tu cabeza parece una ensaladera –dijo Claudia riéndose.

–¡Cállate!

–¿Quién le pegó un tiro a mi padre? –leyó Claudia–. ¿Cómo quieres que lo sepa?

Bradley se encogió de hombros.

Claudia le devolvió la lista.

–Has puesto «estrellas doradas» tres veces –le dijo moviendo la cabeza de un lado a otro.

Bradley le arrancó la hoja y leyó lo que había puesto.

–Es la lista más estúpida que he visto en mi vida –dijo Claudia–. Tu psicóloga no va a querer hablar de nada de lo que has puesto.

–No la conoces –contestó Bradley–. Hablará de lo que yo quiera. Me escucha. Le caigo bien.

–¡Qué va! –contestó Claudia–. Solo está haciendo su trabajo –añadió mientras salía de la habitación riéndose de él.

Bradley esperó a que saliera por la puerta. Luego añadió dos temas a su lista: hermanas y trabajos.

Se le llenaron los ojos de lágrimas mientras intentaba pensar en otro tema. Tachó dos «estrellas doradas», luego arrugó las hojas entre las manos hasta transformarlas en una pelota y la arrojó a la papelera.

23

–¡Cuidado, que viene el monstruo! –chilló un niño gordito de cuarto–. ¡Es el monstruo extraterrestre!

–¡Ajjj! ¡Qué feo es! –exclamó su amigo flaco.

–¡No dejes que te toque! –les advirtió una niña con gafas rosas–. ¡O te convertirá en un monstruo!

Bradley fue a por ellos. Se dispersaron corriendo y luego se reagruparon, como una bandada de pájaros.

Bradley se sentó a comer.

–¡Qué monstruo más bobo! –gritó un niño de tercero.

Después de comer, Bradley volvió a su pupitre, en la última fila. No miró a Jeff. Tampoco miró hacia el otro lado, donde estaba el corcho con las estrellas, ni hacia delante, donde estaba la señorita Ebbel. No miró hacia ninguna parte.

Le tocaba de nuevo ver a Carla. Cogió el pase que le dio la señorita Ebbel y salió de la clase.

Odiaba a Carla. No quería cometer con ella el mismo error que había cometido con Jeff. Se había dado cuenta de que Claudia tenía razón: no le caía bien a Carla, solo hacía su trabajo.

Carla le estaba esperando delante de su puerta, en el pasillo.

–Hola, Bradley –le saludó tendiéndole la mano–. Es un placer verte hoy. Te agradezco que vengas a verme.

Bradley pasó delante de ella sin mirarla y se sentó a la mesa redonda.

Ella se sentó frente a él. Llevaba una blusa blanca de manga larga con dos triángulos, uno rojo y otro azul.

–¿Has hecho una lista de temas de los que quieres hablar? –le preguntó.

–No. Tú eres la profesora –contestó.

–¿Y qué?

–Pues que tú eres la que tiene que decir de qué hablamos, no yo. ¡Es tu trabajo!

–Bueno, pues déjame pensar... –contestó Carla–. ¿Estás seguro de que no se te ocurre nada?

Bradley negó con la cabeza.

–Me sorprende. Pensé que se te ocurrirían un montón de temas interesantes. Bueno, entonces tendremos que hablar del colegio. ¿Empezamos hablando de los deberes?

–Monstruos extraterrestres –contestó Bradley.

–¿Qué?

–Monstruos extraterrestres –repitió Bradley–. Has dicho que podía elegir el tema. ¡Quiero hablar de monstruos extraterrestres!

–¡Qué tema tan interesante! –dijo Carla.

–La única forma que existe de matarlos es con una pistola láser –explicó Bradley–. Las pistolas normales, o incluso las granadas de mano o las bombas atómicas no les hacen nada. Se necesita una pistola láser.

Bradley se puso en pie e hizo como si disparase con una pistola láser mientras emitía un extraño sonido que sonaba como una mezcla entre el tableteo de una ametralladora y el relincho de un caballo.

Carla levantó las manos como para protegerse.

–¡No me dispares! –pidió.

–Eres un monstruo extraterrestre –le dijo Bradley.

–No, solo soy una psicóloga.

Bradley dejó de disparar.

–¿Crees que existen los monstruos extraterrestres? –preguntó.

–No –contestó Carla, negando con la cabeza al mismo tiempo–. Pero sí creo que el universo está habitado por otros seres. Solo que no creo que sean monstruos. Creo que la Tierra es solo un planeta pequeño en un universo inmenso. Creo que hay miles de millones de planetas habitados por billones de seres vivos. Algunos seguro que son muy tontos y otros seguro que son más listos que tú y que yo. Unos serán más grandes que los dinosaurios, y otros más pequeños que las hormigas. Pero entre todos esos seres, no creo que haya un solo monstruo.

–¿Ni uno?

–No –afirmó Carla–. Creo que todos los seres poseen bondad en su interior. Que todos podemos sentir la felicidad, la tristeza y la soledad. Pero a veces hay personas que piensan que otra persona es un monstruo. Eso ocurre solo porque no pueden ver la bondad que esconde en su interior. Y entonces ocurren cosas terribles.

–¿Le matan?

–No, es aún peor. Le llaman monstruo, y eso hace que otras personas le llamen también monstruo y que todos empiecen a tratarle como si lo fuera. Luego, al cabo de un tiempo, él también empieza a creer que es un monstruo. Y como cree que es un monstruo, actúa como si lo fuese. Pero sigue sin serlo. Todavía sigue teniendo mucha bondad profundamente enterrada en su interior.

–Pero ¿qué ocurre si es realmente horrible? –preguntó Bradley–. ¿Qué pasa si tiene la piel verde, un único ojo en la mitad de la frente, tres brazos, dos manos en cada brazo y ocho dedos en cada mano?

Carla se echó a reír.

–Puede que a ti y a mí eso nos parezca horrible –dijo–, pero eso solo nos pasa porque es diferente de lo que estamos acostumbrados a ver. En su planeta, puede que eso se considere muy bonito. A lo mejor acabas de describir a una estrella de cine.

Bradley se rio.

–En ese planeta a lo mejor pensarían que soy muy fea porque no tengo la piel verde y solo tengo dos ojos.

–No –respondió Bradley, negando también con la cabeza–. Podrían pensar que yo soy feo, pero no tú.

–Vaya, Bradley –dijo Carla con voz de asombro–. ¡Eso es lo más bonito que me has dicho nunca! Gracias.

Bradley se puso colorado. No había tenido la intención de decirlo de esa manera.

–No quiero seguir hablando de monstruos –murmuró.

–De acuerdo –respondió Carla–. Creo que hemos tenido una conversación muy interesante, ¿verdad? Has elegido un tema excelente.

Durante el resto de la sesión, Bradley se dedicó a pintar. Cogió un lápiz verde de la gran caja de lápices de colores de Carla e intentó dibujar la criatura extraterrestre que había descrito. Logró dibujar los tres brazos y las seis manos, pero le resultó difícil ponerle ocho dedos en cada mano.

Levantó la cara.

–Carla –llamó a la psicóloga.

–Dime, Bradley.

–¿Tú puedes ver dentro de los monstruos? –preguntó–. ¿Puedes ver la bondad que tienen dentro?

–Yo solo veo eso –contestó Carla.

Bradley siguió pintando. Dibujó un ojo morado en la mitad de la cara de la criatura. Luego pintó un corazón rojo en su pecho para mostrar la bondad que ocultaba allí.

–¿Y cómo puede un monstruo dejar de ser un monstruo? –preguntó–. Quiero decir, si todo el mundo ve solo un monstruo y lo tratan como si lo fuera, ¿cómo deja de serlo?

–No es fácil –respondió Carla–. Creo que lo primero que tiene que hacer es darse cuenta él mismo de que no es un monstruo. Creo que ese es el primer paso. Si no lo sabe él, ¿cómo van a saberlo los demás?

Bradley terminó de colorear su dibujo y se lo enseñó a Carla.

–Es una estrella de cine en su planeta –dijo–. Todo el mundo lo admira.

–Es muy guapo –dijo Carla.

–¿Lo quieres? –preguntó Bradley–. Yo no lo quiero, así que te lo puedes quedar tú.

–Encantada –contestó Carla–. Gracias. Lo voy a poner en la pared ahora mismo.

Bradley observó cómo clavaba su dibujo con chinchetas. Estuvo a punto de decirle que no estaba permitido clavar nada en las paredes, pero cambió de opinión.

Era hora de volver a clase.

–Estoy deseando verte la semana que viene –dijo Carla–. Espero que se te ocurra otro tema tan interesante como el de hoy.

Bradley se dirigió hacia la puerta. De repente se detuvo y se dio media vuelta.

–Dime –dijo Carla.

Bradley se puso con los brazos en jarras y se la quedó mirando.

–Te has olvidado de algo –insistió Carla.

Bradley se quedó quieto y esperó.

Los ojos de Carla se iluminaron de repente. Tendió la mano a Bradley y dijo:

–He disfrutado mucho con tu visita. Gracias por compartir tantas cosas conmigo.

Bradley estiró los labios hasta que se dibujó en ellos una expresión a medio camino entre una sonrisa y una mueca de disgusto, luego salió rápidamente de su despacho.

24

–ALLÍ VIENE –dijo Lori–. No seas cobarde.

Colleen se mordió el labio inferior.

Había llegado la hora de la salida del colegio. Las tres niñas estaban en la acera de enfrente del colegio y miraban a Jeff.

–¿Y si esperamos a mañana? –sugirió Colleen.

–¡Hola, Jeff! –gritó Lori.

–¡No! –musitó Colleen.

Jeff se dio media vuelta.

Lori y Melinda se dirigieron hacia él. Colleen se quedó rezagada.

–¡Hola, Jeff! –saludó Lori.

–¡Hola, Jeff! –saludó Melinda.

–¡Hola, hola! –saludó Jeff.

Lori se rio.

–Vamos, Colleen –dijo Melinda–. Pregúntaselo.

Colleen se sonrojó y miró hacia otro lado.

–Colleen quiere preguntarte una cosa –dijo Lori.

–Bueno, pues, es que... –dijo Colleen sin terminar de arrancar.

–Dejad de darme la lata –dijo Jeff en voz muy baja.

–No te estamos dando la lata –dijo Lori–. Colleen solo quiere preguntarte...

–Deja que se lo pregunte Colleen –la interrumpió Melinda.

–Bueno, pues... –dijo Colleen–. Vale –respiró hondo–. Voy a... es mi cumple...

–¡No quiero que me pregunte nada! –espetó bruscamente Jeff.

Colleen se puso colorada como un tomate.

–¡Y también quiero que dejéis de saludarme!

–Podemos saludar a quien nos dé la gana –dijo Melinda–. Estamos en un país libre.

–Pues no quiero que me saludéis a mí –ordenó Jeff.

–No te preocupes –soltó Colleen–. No te saludaré.

–Yo sí –dijo Lori–. ¡Hola, hola, hola, hola, hola!

–¡Cállate! –ordenó Jeff arrojando su libro a la acera.

–Hola, Jeff; hola, Jeff –se burló de él Lori–. Chola, Jeff –se rio de su error–. Chola, Jeff; hola, Chef –añadió con una risa histérica.

–¡Y deja de reírte! –gritó Jeff.

–Puede reírse todo lo que quiera –dijo Colleen–. No tienes derecho a decirle que deje de reírse.

–Holaholaholaholaholahola –dijo Lori todo lo deprisa que podía.

–¡Cierra la boca! –gritó Jeff.

–¡Cállate tú! –contestó Melinda.

–No me das miedo, Melinda –dijo Jeff.

–Tú tampoco me das miedo –respondió Melinda.

Jeff levantó los puños. Melinda también. Lori se puso a dar gritos de emoción.

–Vale, pégame –dijo Jeff.

–Pégame tú primero –respondió Melinda.

–No, pégame tú primero –dijo Jeff.

–¡Que alguien pegue a alguien! –chilló Lori.

Jeff golpeó suavemente el hombro de Melinda con el puño.

Ella le dio un puñetazo en el estómago. Jeff se dobló de dolor y Melinda aprovechó para darle otro puñetazo en la nariz. Jeff agitó los brazos intentando defenderse, pero Melinda siguió golpeándole el cuello, el estómago y finalmente el ojo.

Jeff cayó al suelo.

Melinda se tiró de rodillas sobre él. Se sentó sobre su pecho y le sujetó los brazos al suelo.

Lori se arrodilló junto a ellos y golpeó el suelo con la mano mientras contaba:

–Uno, dos, tres, cuatro, cinco, seis, siete, ocho, nueve y ¡diez!

Melinda se puso en pie.

Lori sujetó en alto el brazo de Melinda y tapándose la nariz con la otra mano chilló:

–La ganadora y nuevamente campeona del mundo... Melinda la Magnífica.

Colleen aplaudió con entusiasmo.

25

–Voy a ser bueno –se propuso Bradley–. Entonces, cuando todo el mundo vea lo bueno que soy, sabrán que no soy un monstruo.

–Y la señorita Ebbel te pondrá una estrella dorada –dijo Roni.

Bradley estaba tan nervioso que no se dio cuenta de que se estaba poniendo un calcetín de cada color: uno verde y otro azul. Se ató los cordones y fue al cuarto de baño para mirarse en el espejo.

Apenas se notaba ya su ojo morado. El moratón se había ido aclarando hasta adquirir un color marrón amarillento. Se fue corriendo a desayunar.

Su madre le preparó unas gachas.

–Odio las gachas calientes –protestó Bradley.

–Se come lo que hay –le reprendió su padre–. Esto no es un restaurante.

Bradley frunció el ceño, no porque tuviera que comerse las gachas sino porque se dio cuenta de que nunca tendría que haber dicho que las odiaba. Esa era una frase del Bradley malo. Al Bradley bueno le gustaban las gachas calientes y con grumos.

Cogió una gran cucharada, se la llevó a la boca y se la tragó.

–¡Mmmm! Está rico –dijo, pero al sacarse la cuchara de la boca tiró con el codo su vaso de zumo de naranja.

Claudia pegó un grito y se levantó de un salto.

–¡Oh, Bradley! –exclamó su madre.

Su padre le miró furioso.

–No ha sido apos...

Iba a explicar que había sido un accidente, que lo había hecho sin querer, pero de repente se había acordado de que Carla le había dicho que no creía en los accidentes. Se quedó perplejo. Se preguntó por qué querría tirar su zumo a propósito. Le gustaba el zumo de naranja. Tendría que haber derramado las gachas.

–¿Te vas a quedar ahí como un pasmarote o vas a ayudar a tu madre a recoger lo que has tirado? –preguntó su padre.

Bradley cogió su servilleta para ayudar, pero su madre le dijo que se quitara de en medio.

–Solo conseguirás ensuciar más –le dijo.

Bradley acabó de desayunar en silencio.

Cuando se dirigía hacia su cuarto, Claudia soltó una carcajada.

–¿Qué te hace tanta gracia? –preguntó Bradley.

–Mira tus calcetines –le dijo.

Bradley se miró los pies y luego miró a su hermana, la hiena reidora.

–Gracias, Claudia –le dijo–. Te agradezco que hayas compartido esto conmigo.

Claudia dejó de reír y se le quedó mirando.

Bradley entró en su cuarto, se sentó en el borde de la cama y se quitó las deportivas.

–¡Vaya! –exclamó Bartolo–. ¡Qué bien te has portado! Yo le hubiera dado un puñetazo en la cara.

–Hoy le van a dar una estrella dorada –dijo Roni.

Bradley se cambió los calcetines, pero seguía tan nervioso que no prestó mucha atención a lo que hacía. Se quitó el calcetín verde del pie derecho. Se quitó el calcetín azul del pie izquierdo. Se puso el calcetín verde en el pie izquierdo y el calcetín azul en el derecho. Luego se puso los zapatos y se fue al colegio, con la intención de ser muy bueno. Entró en clase y se sentó en su sitio, en el último pupitre de la última fila. Se sentó derecho, se sujetó las manos y las apoyó sobre el pupitre. Intentó no emocionarse demasiado cuando miró de reojo el corcho con las estrellas que estaba en la pared.

Entró Jeff y se sentó en su sitio, en el penúltimo pupitre de la última fila.

Bradley le vio por el rabillo del ojo, luego se giró para verle mejor. ¡Jeff tenía un ojo morado!

–¿Se puede saber qué estás mirando, Chalkers? –le espetó Jeff.

–¡Anda, si parecéis gemelos! –exclamó Shawne, la niña que se sentaba delante de Jeff.

–Mira para otro lado con esa cara tan fea –rugió Jeff.

–¡Cállate, Bradley! –dijo Shawne, dándose la vuelta.

Bradley miró la nuca de Shawne.

«Sigue pensando que soy un monstruo», se dijo. «Pero en cuanto me den una estrella dorada, se dará cuenta de que soy bueno».

Durante el resto de la mañana, Bradley permaneció atento y sin quitarle ojo a la señorita Ebbel. No hacía más que preguntarse si ella ya se había dado cuenta de lo bueno que era.

Cuando salió al patio, estaba casi convencido de que a su vuelta se encontraría con una estrella dorada junto a su nombre.

Curtis y Doug, dos amigos de Jeff, salieron de la clase de la señorita Sharp.

—¿Qué se os ocurre para hoy? —preguntó Doug.

—Pegarle a Bradley cuando no esté mirando —dijo Curtis.

—¿Qué? —dijo Bradley.

Doug le dio un empujón.

Bradley salió despedido hacia atrás y cayó sobre Jeff, quien le pegó otro empujón en sentido contrario.

Bradley miró a su alrededor. Estaba rodeado.

—Jeff es nuestro amigo —dijo Robbie.

—Sí —corroboró Brian.

—Me has pegado cuando no estaba mirando —le acusó Jeff—. Y además tenía las manos ocupadas. No quería dejar caer nada.

—¡Cobarde, gallina! —exclamó Dan.

Entre Andy y Doug había un hueco. Bradley se lanzó por él y corrió al patio.

Jeff y sus amigos corrieron tras él.

Bradley giró la cabeza para ver si le seguían y se chocó con una niña que estaba de pie sobre una pierna. La niña se cayó al suelo de asfalto y se puso a llorar.

–Me voy a chivar, Bradley –dijo una de sus amigas.

–Lo siento –se excusó Bradley sintiéndose indefenso, y luego siguió corriendo.

Subió corriendo las escaleras de cemento y entró en el edificio del colegio por el salón de actos. Desde allí se dirigió a toda prisa hacia la biblioteca.

–¿Qué quieres? –preguntó la señora Wilcott, la bibliotecaria.

–Nada –musitó sentándose en una de las mesas. Bradley apoyó los codos y dejó descansar la cabeza en las manos.

«¿Y si Carla se ha equivocado?», pensó con preocupación. «¿Y si soy realmente un monstruo?».

–Pórtate bien, Bradley. No quiero tener problemas contigo –le advirtió la señora Wilcott.

26

–Te pillaremos a la hora de comer, Chalkers –le amenazó Robbie en un susurro cuando Bradley entró en
clase.

–Llegas tarde –le recriminó la señorita Ebbel.

Bradley se sentó en su sitio, en el último pupitre de
la última fila, y miró el corcho que había a su lado.
Evidentemente no había una estrella dorada junto a su
nombre. Ya había hecho mal tres cosas: en primer lugar,
había tirado a una niña y la había hecho llorar; en segundo lugar, había entrado tarde en clase y, en tercer
lugar, lo peor de todo: se llamaba Bradley Chalkers.
Mientras se llamara Bradley Chalkers, nunca le pon-
drían una estrella dorada. No se daban estrellas doradas
a los monstruos.

A los monstruos se les pega. Bradley miró a su alrededor: a Jeff, Robbie, Russell y Brian. Tuvo que esfor-
zarse mucho para no ponerse a llorar.

Lo peor no era que le pegaran, sino saber que todo
el mundo disfrutaría con ello. Se imaginó a todo el
colegio –niños, niñas e, incluso, profesores– mirando

y aplaudiendo mientras la pandilla de Jeff se turnaba para pegarle puñetazos y darle patadas.

Cuando sonó la campana del recreo del mediodía, sacó lentamente de su pupitre la bolsa de papel con su comida.

—Te estaremos esperando fuera —le amenazó Jeff.

Bradley le miró mientras salía por la puerta. Caminó despacio hacia la parte anterior de la clase y luego de repente se lanzó hacia la otra puerta y salió al pasillo.

—¡Bradley, vuelve! —le gritó la señorita Ebbel.

Bradley siguió corriendo. No le importaba meterse en más líos. Total, ¡qué mas daba!

Giró el picaporte para entrar en la biblioteca. La puerta no se abrió. La biblioteca no abría al mediodía.

Intentó pensar en algún sitio en el que pudiera estar a salvo.

—¡Allí está! —exclamó Doug al salir del salón de actos.

Bradley se dio media vuelta y huyó por donde había venido.

Dobló una esquina, se detuvo y tomó una rápida y desesperada decisión.

Abrió la puerta del baño de las chicas, cerró los ojos y entró.

Abrió los ojos. Gracias a Dios, no había nadie.

Contuvo el aliento y escuchó. Lo más horrible que le podría pasar sería que le pegaran en el baño de las niñas.

«A lo mejor me meten la cabeza en el váter», pensó.

Esperó. No oyó nada.

Miró a su alrededor. Las paredes tenían azulejos verdes hasta media altura; el suelo era de cerámica del mismo color. Había dos lavabos blancos y un dispensador de toallas de papel. Y tres cubículos, cada uno con un váter. Cada cubículo tenía una puerta. Se parecía mucho al baño de los niños. Los váteres de las niñas eran iguales a los de los chicos. Bradley se sintió muy decepcionado.

No podía arriesgarse a salir al pasillo. Se apoyó en la pared, metió la mano en su bolsa de papel marrón y sacó su sándwich de carne asada.

¡Alguien estaba abriendo la puerta! Rápidamente volvió a meter su sándwich en la bolsa y se metió de un salto en un cubículo y cerró la puerta tras de sí. Se subió en el váter para que no le vieran los pies.

Escuchó.

Oyó pasos cruzando el suelo y alguien entró en el cubículo junto al suyo. Bradley se tapó la boca con las manos al oír unos ruidos familiares, pero muy personales.

Finalmente oyó que la persona que estaba allí dentro tiraba de la cadena, se subía la cremallera del pantalón y se dirigía hacia el lavabo. Oyó correr el agua del grifo y el ruido de una toalla de papel al sacarla del dispensador. Finalmente, la puerta del cuarto de baño se abrió y se cerró.

Bradley suspiró con alivio, se bajó del váter, abrió la puerta y... se quedó petrificado.

Había dos niñas y le estaban mirando fijamente. Una era la que había usado el retrete junto al suyo. La otra acababa de entrar. Se preguntó quién era cada una. En ese momento oyó el grito más fuerte de su vida. Eso contestaba a su pregunta.

Se lanzó hacia la puerta, pasó junto a las niñas y salió al pasillo.

Dobló una esquina, llegó hasta una puerta y la golpeó con fuerza repetidas veces hasta que se abrió.

–¡Bradley! –se sorprendió Carla.

–Hola, Carla –dijo Bradley tendiéndole la mano–. Es un placer verte hoy.

27

Ella le dio la mano.

Bradley entró en el despacho, cerró la puerta y se sentó a la mesa redonda.

–No te puedes ni imaginar lo que me ha pasado –dijo mientras miraba su dibujo de un monstruo verde clavado en la pared–. ¡No te lo puedes ni imaginar!

–Seguro que no –respondió Carla, sentándose frente a él. Llevaba puesta una blusa sin mangas a cuadros negros y blancos.

–Bueno, pues te lo voy a contar –dijo Bradley.

–Eso espero –dijo Carla.

–¿A que no adivinas dónde estaba antes de venir aquí?

–No.

Bradley dio un puñetazo a la mesa.

–¡En el baño de las chicas! –exclamó.

Luego le relató los detalles: había entrado una niña y se había metido en el váter junto al suyo. Cuando pensaba que se había marchado, había salido del váter, pero se había encontrado con que no había salido la niña sino que había entrado otra.

–Al principio no sabía cuál de las dos era la que había estado en el váter, pero entonces una de ellas se puso a gritar, así que tiene que ser esa –concluyó.

–¿Quién era? –preguntó Carla–. ¿La conoces?

–Sí, pero creo que no debo decírtelo. Probablemente no quiere que nadie más lo sepa.

–Eres muy considerado, Bradley.

Bradley se encogió de hombros.

–¿Quieres que comamos? –preguntó Carla.

–Vale.

Bradley sacó su sándwich de carne asada.

Carla puso su comida sobre la mesa. Tenía un yogur y un plato de tomates y pepinos cortados en rodajas.

–Tiene buena pinta –comentó Bradley.

–¿Quieres que lo compartamos? –sugirió Carla.

–Vale.

Probaron cada uno la comida del otro. Bradley comió una rodaja de pepino. Le pareció delicioso.

–¿Y qué hacías en el baño de las niñas? –preguntó Carla, y le dio un buen bocado al sándwich de carne asada de Bradley.

–Jeff y sus amigos me estaban persiguiendo –explicó–. ¡Jeff tiene un ojo morado, igual que yo! Todo el mundo cree que le he pegado yo.

–¿Le has pegado tú?

Bradley pensó si mentir o no. Podía decir que sí, que había vencido a Jeff fácilmente. Carla se creía todo lo que le contaba.

–No. Si ni siquiera gano a las niñas –confesó Bradley–. A mí me pegó Melinda Birch. ¿La conoces?

–No.

–Te caería bien. Es simpática.

Carla sonrió.

Bradley se comió una rodaja de tomate y luego una cucharada de yogur.

–Me he escondido en la biblioteca durante el recreo –confesó–. Allí no podían pegarme aunque me encontraran. ¡Si ni siquiera se puede hablar en la biblioteca!

–Ya lo sé.

–¡A que es sorprendente!

–¿Qué es sorprendente?

–La biblioteca. Todos esos libros... Y todos son diferentes, ¿verdad?

Carla asintió con la cabeza al tiempo que sorbía el zumo de Bradley con una pajita de refresco.

–Me he pasado todo el tiempo que he estado allí pensando en eso –dijo Bradley–. Todos los libros son diferentes. Sin embargo, todos usan prácticamente las mismas palabras. Solo que las ponen en un orden diferente.

–¿Has sacado...?

–En nuestro alfabeto hay veintisiete letras –afirmó–. ¡Basta con cambiarlas de orden para que signifiquen un montón de cosas diferentes!

–¿Has sacado...?

–Lo más fácil sería pensar que después de un rato se agotarían las formas de colocarlas de forma diferente –reflexionó Bradley.

–¿Has sacado algún libro? –por fin logró preguntar Carla.

–No. La señora Wilcott no me deja. Hace mucho tiempo, antes de conocerte, solía sacar libros y no devolverlos. Solía garabatearlos y arrancar páginas. Así que ya no me deja sacar libros. No me ha quitado ojo en todo el tiempo que he estado allí y no dejaba de repetirme: «Pórtate bien, Bradley, no quiero tener problemas contigo».

Bradley se comió otra rodaja de pepino.

–Solo quería hojear un libro. No pensaba estropearlo –dijo.

–Ya lo sé –le tranquilizó Carla–. Y dentro de poco también lo sabrá la señora Wilcott.

–Estoy intentando portarme bien –dijo Bradley–. Pero nadie me da una oportunidad.

–Te la darán. Solo hace falta tiempo.

–¿Juegas alguna vez a las damas en tu blusa? –le preguntó.

Carla estuvo a punto de atragantarse con el zumo. Se echó a reír y lo negó con la cabeza.

–Me gustan tus blusas –dijo.

–A mí me gustan tus calcetines –contestó.

Bradley miró sus calcetines desparejados.

–Pensaba que me los había cambiado –dijo.

–Me espantan los calcetines conjuntados –afirmó Carla–. Mira –dijo sacando sus piernas de debajo de la mesa.

Carla llevaba pantalones blancos. Y en un pie se había puesto un calcetín blanco y en el otro un calcetín negro.

Bradley sonrió. Y no con su habitual sonrisa torcida, sino con una sonrisa abierta y sincera. Una sonrisa que, hasta entonces, solo habían visto Roni y Bartolo.

–Se me ocurre algo bueno que puedes hacer –dijo Carla–. La señorita Ebbel enseguida se dará cuenta de ello.

–¿Qué?

–Los deberes.

La sonrisa de Bradley se desvaneció.

–No, no puedo –respondió.

–¡Claro que puedes! –lo animó Carla.

–No puedo –repitió con los ojos llenos de lágrimas.

–Eres capaz de hacer cualquier cosa que te propongas, Bradley Chalkers. Confío mucho en ti –dijo Carla.

Bradley negó con la cabeza.

–¡Pero no puedo! –afirmó con voz entrecortada.

–No digas nunca que no puedes. Si lo dices, nunca te pondrás a hacerlos. Di, ¡sí puedo!, ¡sí puedo! y podrás hacer lo que quieras.

–¡No puedo! ¡No puedo! –dijo Bradley llorando.

–Bradley, no es tan difícil. Te estás ahogando en un vaso de agua. Si quieres, puedo echarte una mano.

–¡No puedo! –sollozó Bradley.

–¿Por qué no puedes? –preguntó Carla.

Bradley se restregó los ojos con la manga y se sorbió los mocos. Miró a Carla a los ojos y dijo:

–No sé por qué página vamos.

–¡Oh, Bradley! –musitó Carla con los ojos empañados en lágrimas.

Carla se puso en pie, se acercó a Bradley y le dio un beso en la mejilla.

28

BRADLEY ESTABA TUMBADO boca abajo sobre la cama. Mordisqueaba la punta de su lápiz mientras miraba con desesperación el libro de matemáticas, abierto delante de él.

Junto al libro había un trozo de papel. En el borde superior derecho había escrito:

> *Bradley Chalkers*
> *Deberes*
> *Matemáticas*
> *Página 43*
> *Colegio Red Hill*
> *Aula 12*
> *Profesora: señorita Ebbel*
> *Última fila, último pupitre*
> *Ojo morado*

Su letra, ya de por sí mala, resultaba aún más ilegible por el hecho de usar un lápiz poco afilado y apoyarse en la superficie blanda de la cama.

Se había quedado en clase todo el tiempo posible tras sonar la campana.

–Bradley, ya es hora de que te vayas a casa –había acabado por decirle la señorita Ebbel.

Bradley miró por la ventana, por si Jeff y su pandilla de matones le aguardaban.

–Oye, ¿puedo preguntarte algo? –le dijo a la señorita Ebbel.

Esta le miró con prevención.

–¿Qué clase de pregunta? –respondió.

Bradley se preguntó de qué tipo era su pregunta.

–Una pregunta interrogativa –dijo finalmente.

–Ya –respondió la señorita Ebbel.

–¿Puedo preguntártela? –preguntó.

–Bueno –respondió reacia la señorita Ebbel.

Bradley formuló entonces su pregunta:

–¿En qué página están los deberes?

–¿Los deberes? En la página 43.

Bradley escribió «43» sobre una deportiva para que no se le olvidara. Luego cogió su libro de mates y salió a la calle. Jeff y sus amigos estaban jugando al baloncesto. Bradley corrió hasta su casa.

Allí se encontró mirando con desconsuelo la página 43. Tras mover la cabeza de un lado a otro, suspiró.

Pregunta 1. ¿Cuánto es tres cuartos por dos tercios?

Era la pregunta más difícil del mundo. No tardó nada en distraerse.

–Oye, Bradley, ¿qué estás haciendo? –le preguntó Roni.

–Deberes.

–¿Qué es eso? –preguntó.

–Trabajo del colegio que hay que hacer en casa.

–¿Y es divertido? –preguntó Roni.

–No, la verdad es que no. Es como los ejercicios que hacemos en el colegio. Lo que pasa es que cuando te los mandan hacer en casa lo llaman deberes.

–Nunca los habías hecho –le comentó Roni.

–Los hago por Carla. Y ahora déjame en paz para que me pueda concentrar.

Pregunta 1. ¿Cuánto es tres cuartos por dos tercios?

–¿Por qué los haces por Carla? –preguntó Roni.

Bradley suspiró.

–Vale, te lo diré, pero no se lo digas a nadie –dijo.

Roni le prometió no contarlo.

–Estamos enamorados –explicó.

–¿De verdad? –se asombró Roni–. ¿Cómo lo sabes?

–Me besó.

–¡Vaya! ¡Eso significa que te quiere! –exclamó Roni–. ¿Vas a casarte con ella?

–A lo mejor, cuando sea mayor. Primero tengo que hacer los deberes.

–Yo me voy a casar con Bartolo –afirmó Roni.

–Ya lo sé –dijo Bradley–. Ahora déjame hacer los deberes.

Pregunta 1. ¿Cuánto es tres cuartos por dos tercios?

–¡Hola, Bradley! ¿Qué te pasa, tío? –preguntó Bartolo.

–Déjale en paz –dijo Roni–. Está intentando hacer los deberes. No se puede concentrar si le hablas.

–A lo mejor puedo echarte una mano. A ver, dime la pregunta.

–¿Cuánto es tres cuartos por dos tercios? –preguntó Bradley.

–Tres cuartos por dos tercios –repitió Bartolo–. ¡Menuda pregunta! Tres cuartos por dos tercios... Déjame pensar. Divides cuatro entre... No. Multiplicas por dos... No...

–El «por» significa que tienes que dividir –dijo el burro–. Por ejemplo, coger la mitad de algo es lo mismo que dividirlo por dos. Hay que dividir tres por dos y cuatro por tres.

Bradley se puso a escribirlo.

–No, el «por» indica que lo que tienes que hacer es multiplicar –dijo el león–. Tienes que multiplicar todo.

–Tienes que empezar por cambiar los numeradores –dijo el zorro.

–No se cambian: se invierten –corrigió la perra *cocker*.

–Creo que tienes que buscar un denominador común –opinó el elefante.

–Eso no es para la multiplicación –contestó el hipopótamo–. Es para la suma.

–La multiplicación es lo mismo que la suma, solo que más rápido –contestó el zorro.

–Eliminas los treses –dijo el canguro–. Los treses siempre se eliminan.

–Los treses se multiplican –corrigió el león.

Bradley no paraba de borrar y escribir, borrar y escribir hasta que toda la página se convirtió en un inmenso borrón negro. Sobre el borrón intentó escribir $3 \times 3 = 9$, pero al hacerlo, su lápiz perforó la hoja.

–La respuesta no puede ser 9 –indicó Roni–. Si partes de unas fracciones, el resultado tiene que ser una fracción.

Bradley cerró su libro violentamente.

–¡No tenéis ni idea de lo que estáis diciendo! –chilló indignado.

Bradley cogió su libro, papel y lápiz y se dirigió por el pasillo hasta el comedor.

Su madre estaba sentada a la mesa haciendo el crucigrama del periódico. Bradley se dejó caer en una silla a su lado y suspiró.

Su madre le miró con curiosidad.

–No tengo ni idea de cómo hacer los deberes –dijo–. ¿Me puedes ayudar?

Su madre le sonrió abiertamente.

–Encantada –respondió–. Enséñamelos.

–Página 43 –dijo Bradley, poniendo el libro de matemáticas delante de su madre.

Su madre abrió el libro por la página indicada y observó la hoja emborronada y perforada.

–Vale. Primero déjame que quite este periódico para que tengamos un sitio agradable y ordenado para trabajar. Mientras yo ordeno, quiero que tú me vayas a buscar una hoja limpia.

–No tengo más hojas. Solo he traído esta –respondió Bradley.

–Hay folios en la mesa de despacho de tu padre. Trae también un lápiz afilado.

Bradley miró a su madre con cara de asombro. No tenía permiso para tocar nada del escritorio de su padre.

Su madre le sacó de dudas moviendo la cabeza afirmativamente.

Bradley se sintió algo asustado al entrar en el cuarto que su padre usaba como despacho. Abrió el cajón superior del viejo escritorio de roble y sacó con cuidado un lápiz afilado y un folio. Cerró el cajón, miró a su alrededor y volvió rápidamente adonde le aguardaba su madre.

Su madre le sonrió.

Bradley se sentó y escribió, ahora con una letra mucho más clara:

> *Bradley Chalkers*
> *Deberes*
> *Matemáticas*
> *Página 43*
> *Colegio Red Hill*
> *Aula 12*
> *Profesora: señorita Ebbel*
> *Última fila, último pupitre*
> *Ojo morado*

–Hay que poner todo esto por si se pierde la hoja –explicó a su madre.

–¿Cuánto es tres cuartos por dos tercios? –leyó su madre en voz alta.

Bradley se encogió de hombros.

–De acuerdo –dijo su madre–. Lo primero que tenemos que hacer es escribir la operación.

Bradley seguía sin saber qué hacer. Su madre escribió:

$3/4 \times 2/3 =$

–Cuando veas la palabra «por», tienes que multiplicar –le explicó.

–Sí, el «por» indica que lo que tienes que hacer es multiplicar –Bradley repitió las palabras del león.

–Correcto –afirmó su madre.

–Como tienes un tres en el numerador y otro en el denominador, puedes quitarlos –dijo su madre.

Eso es lo que había dicho el canguro, que los treses siempre se quitan.

Ninguno de los dos se había dado cuenta de que Claudia estaba de pie detrás de ellos, observándolos.

–No hay que hacerlo así –espetó de repente.

Bradley se dio media vuelta y la miró con cara de pocos amigos.

–Tienes que explicar por qué los quitas –dijo Claudia–. Y no se dice quitar, se dice simplificar.

–Yo solo lo sé hacer como me lo enseñaron a mí –dijo la señora Chalkers.

–Si quieres, yo puedo ayudar a Bradley –se ofreció Claudia.

Bradley miró a su madre, luego volvió a mirar a Claudia y luego miró de nuevo a su madre.

–Claudia sabe cómo os están enseñando ahora –dejó caer su madre.

–¿Me vas a ayudar? –preguntó Bradley a su hermana.

–Sí –dijo Claudia–, no tengo nada mejor que hacer.

La señora Chalkers se levantó y Claudia se sentó en su sitio.

–No se lo hagas –dijo la madre de Bradley a su hija–. Es importante que él aprenda a hacerlo solo.

Claudia explicó pacientemente matemáticas a Bradley toda la tarde. Cuando Bradley decía que entendía algo, Claudia le obligaba a explicárselo. Eso le costaba más. Lo entendía cuando lo hacía ella, pero le resultaba más difícil hacerlo él solo.

A la hora de la cena, apenas habían hecho más de la mitad de los deberes. Bradley quería que Claudia le ayudara también después de cenar, pero tenía que hacer sus propios deberes.

–Ya sabes hacerlos –dijo–. Puedes hacerlos solo.

–Necesito ayuda –se quejó Bradley.

–Yo te ayudaré –se ofreció su padre.

–¿De verdad? –se sorprendió Bradley.

–Vamos a mi despacho –le dijo su padre–. Allí podremos trabajar en mi mesa.

Bradley no salía de su asombro.

Se pusieron a trabajar juntos. Bradley se sorprendió de lo mucho que sabía su padre. Con él lo más difícil parecía fácil. Bradley sintió acabar tan pronto. Le había gustado eso de trabajar con su padre.

Fue a su habitación con los deberes terminados.

–Ahora lo entiendo, Bradley –dijo Bartolo–. Multiplicas los numeradores y los denominadores por separado, pero sigo sin entender la simplificación.

–Es muy fácil –afirmó Bradley–. Déjame que te lo explique otra vez.

29

BRADLEY ESTABA TAN NERVIOSO que no podía dormirse.

«La señorita Ebbel va a llevarse una buena sorpresa», pensaba. «Dirá a toda la clase: "Solo ha habido un alumno con un diez: Bradley"».

¡Pero aún se le podían torcer muchas cosas!

«¿Y si se me pierde la hoja de camino al colegio?», se preocupó. «¿Y si me la roban Jeff y sus amigos...?».

Bradley se levantó dos veces esa noche para asegurarse de que su hoja estaba a salvo, doblada entre las páginas de su libro de mates.

«¿Y si me he equivocado de página...?».

Bradley ya no estaba seguro de si la señorita Ebbel había mandado hacer los deberes de la página 43 o la 62. Intentó recordar con exactitud sus palabras.

Bradley se incorporó de la cama aterrorizado. La señorita Ebbel en ningún momento había hablado de los deberes de mates, solo había dicho la página del libro, pero ¿de cuál? Podría ser el de historia, el de lengua o el de cualquier otra asignatura.

Volvió a echarse en la cama temblando. Sus lágrimas mojaron la almohada.

A la mañana siguiente, se levantó muy temprano, comprobó que sus deberes seguían en su sitio, se vistió y se fue al colegio sin desayunar.

Por el camino, se detuvo para verificar de nuevo que aún tenía sus deberes. Al abrir el libro, la hoja cayó a la acera, justo al lado de un charco.

Miró fijamente la hoja, horrorizado por lo que había estado a punto de ocurrir, y luego la cogió rápidamente y la volvió a meter entre las páginas de su libro. Durante el resto del trayecto al colegio sujetó con fuerza su libro para que no se abriera. Llegó de los primeros. Tuvo que esperar a que abrieran las puertas. Se mantuvo alerta por si veía a Jeff y a su pandilla, de espaldas al edificio del colegio para que no pudieran sorprenderle por detrás.

Vio a Andy. Pensó que Andy también le había visto a él, pero, si le había visto, no hizo ademán de acercarse.

Cuando abrieron las puertas, Bradley entró el primero a la clase de la señorita Ebbel. Se sentó en su sitio, en el último pupitre de la última fila, y aguardó.

Cuando fueron entrando sus compañeros, observó que se acercaban hasta la mesa de la señorita Ebbel y dejaban sobre ella una hoja. Se preguntó si sería la hoja con los deberes. Ahora tenía otra preocupación: no sabía cómo debía entregar los deberes.

Entonces entró Jeff, puso una hoja sobre la pila de papeles que había en la mesa de la señorita Ebbel, y luego se dirigió hacia el fondo de la clase.

«Tienen que ser sus deberes», pensó Bradley. «¿Qué puede ser si no?».

–Shawne –interpeló Bradley.

La niña que se sentaba delante de él giró la cabeza.

–Hay que poner la hoja de los deberes sobre la mesa de la señorita Ebbel –le dijo.

–No me digas lo que tengo que hacer, Bradley –le espetó Shawne–. Ocúpate de tus deberes y yo me ocuparé de los míos, ¿vale? –añadió dándose media vuelta.

«A lo mejor tengo que dejarlos en su mesa antes de que toque el timbre porque, si se los entrego más tarde, ya no los acepta», se preocupó Bradley cuando ya estaba a punto de sonar el timbre que indicaba el comienzo de la clase.

Rebuscó entre las páginas de su libro, sacó la hoja con sus deberes, se levantó y se dirigió hacia la mesa de la señorita Ebbel.

A cada paso que daba, se iba sintiendo más nervioso. Tenía la boca seca y le costaba respirar. Apenas veía adónde se dirigía. Sentía que estaba a punto de desmayarse. Y la mesa de la señorita Ebbel parecía estar tan lejos... Era como si la estuviera viendo por el lado equivocado de un telescopio. Su corazón latía con fuerza y sus deberes se agitaban en su mano temblorosa.

Sin saber cómo, logró acercarse hasta la mesa y centrar la vista en las hojas que los demás alumnos habían dejado sobre ella. ¡Tenían todo el aspecto de ser deberes de mates! ¡Y de la página 43!

Pero en vez de sentirse aliviado, notó como si fuera a estallar.

–¿Quieres algo, Bradley? –le preguntó la señorita Ebbel.

Miró sus deberes, agitados por su mano temblorosa. Entonces rompió la hoja por la mitad y la arrojó a la papelera que había junto a la mesa de la profesora.

Inmediatamente se sintió mejor. Se le despejó la cabeza y empezó a respirar con normalidad. Su corazón dejó de latir con fuerza.

Regresó hacia su pupitre, respiró hondo, expulsó el aire y se sentó. Cruzó los brazos sobre la mesa y apoyó la cabeza de lado. Se sintió triste, pero aliviado al contemplar las estrellas doradas.

30

Todos los alumnos habían salido ya al recreo menos Bradley, que permanecía sentado en su sitio. Se acercó a la mesa de la señorita Ebbel, que estaba ordenando papeles.

–Señorita Ebbel –dijo tímidamente–, ¿puedo coger el pase? Tengo que ver a la psicóloga.

La señorita Ebbel levantó la cabeza.

–Por favor –insistió.

En circunstancias normales, la señorita Ebbel nunca habría dejado a Bradley suelto por los pasillos, pero algo en su tono de voz hizo que cambiara de opinión.

–De acuerdo, Bradley –contestó, y luego añadió en tono amenazador–: ¡Pero si te portas mal es la última vez que te dejo salir de clase!

–Gracias –contestó Bradley.

Bradley descolgó el pase del gancho situado detrás de la mesa de la profesora y salió de la clase.

–De nada –se contestó la señorita Ebbel a sí misma.

Bradley llamó a la puerta del despacho de Carla.

–Me alegro de verte, Bradley –le saludó Carla–. Te agradezco tu visita.

Bradley le dio la mano y luego se sentaron frente a la mesa redonda. Ella vestía una blusa con rayas onduladas. Era la que llevaba el primer día que la vio. Le gustaba, pero menos que la de los ratoncitos.

–Hice mis deberes anoche –dijo el chico.

Carla sonrió complacida.

–Estoy muy orgu...

–Los rompí.

–¿Qué?

–Los rompí. Los traje hasta el colegio, pero cuando estaba a punto de entregárselos a la señorita Ebbel, rompí la hoja.

–¿Por qué los...? –empezó a decir Carla.

–¿Por qué los rompí? –acabó la frase Bradley.

–No lo sé. Dímelo tú.

Bradley se encogió de hombros.

Carla también se encogió de hombros.

Los dos se rieron.

–Me preocupaba que te fueras a enfadar –dijo Bradley cuando terminó de reírse.

Carla negó con la cabeza.

–Lo importante es que has hecho los deberes. Estoy muy orgullosa de ti, Bradley Chalkers.

–Voy a hacer los deberes todos los días –prometió Bradley.

–¡Fenomenal!

–Pero ¿qué pasará si sigo rompiéndolos? –preguntó.

–¿Por qué querrías hacerlo?

–No lo sé. Tampoco creo que quisiera romper los de hoy.

–Lo más importante es que los has hecho. Y que has aprendido algunas cosas al hacerlos, ¿verdad?

–Lo que significa «por».

–¿Lo que significa «por»? –repitió Carla.

–Veces –dijo Bradley.

Carla le contempló estupefacta.

–¡Ah, ya! –exclamó al caer de repente en la cuenta de a qué se refería–. Vale, así que, aunque has roto tus deberes, sigues recordando lo que has aprendido. No has roto tu memoria. Y cuando la señorita Ebbel os haga el siguiente control de mates, sabrás contestar a las preguntas.

–Si no cambian las reglas... –dijo Bradley.

–¿Qué reglas?

–Imagínate que deciden que hay que restar cuando ponen «por» en vez de multiplicar.

–Las reglas no cambian –le aseguró Carla–, sean quienes sean esos que deciden.

–¿Y si también rompo mi control? –preguntó Bradley.

Carla le miró con cara de «menuda tontería acabas de decir» y le preguntó:

–¿Os ha puesto deberes la señorita Ebbel para mañana?

–Mañana es sábado –contestó Bradley.

–Vale, para el lunes –rectificó Carla.

–No, nunca nos ponen deberes para el fin de semana –aseguró Bradley como si fuera un experto y llevase años haciendo los deberes–. Pero tenemos que entregar un comentario de un libro la semana que viene. Solo que...

–Solo que qué.

–Que no tengo libro. Y la señora Wilcott no me deja sacar libros de la biblioteca.

–Bueno, veamos –dijo Carla–. ¿Se te ocurre alguien que pueda prestarte uno? Piénsalo bien.

Bradley miró todos los libros que había en el despacho de Carla.

–¿Tú me prestarías uno de los tuyos? –le preguntó–. Por favor. Te prometo que no lo pintaré.

Carla dio la vuelta alrededor de la mesa y eligió un libro que estaba sobre una pila colocada en una balda de su estantería.

–Es mi libro preferido –dijo mientras se lo daba a Bradley.

Bradley leyó el título: *Mis padres no robaron una elefanta*, de Uriah C. Lasso, y se echó a reír. Abrió la primera página y leyó la primera frase:

Odio el zumo de tomate.

Pensó que era una frase muy rara para empezar un libro. Siguió leyendo:

La tía Ruth me da un zumo de tomate todas las mañanas y todas las mañanas le digo que lo odio.

–Estupendo, bizcochito –me contesta siempre–, pues no te lo tomes.

Ella me llama bizcochito. El tío Boris me llama copito de maíz. Están locos. ¡Temo que un buen día intenten comerme!

Levantó la cabeza y miró a Carla; luego, siguió leyendo:

Mis padres están en la cárcel. Los arrestaron por robar una elefanta en el circo. Solo que no la robaron. Si lo hubieran hecho, me habría enterado, ¿no? Quiero decir, si tus padres hubieran robado una elefanta, ¿no crees que te habrías enterado?

Yo creo que la elefanta se escapó. Su dueño se portaba muy mal con ella. Le daba latigazos y la obligaba a hacer unos trucos muy bobos. Mis padres solían quejarse a menudo de ello. Por eso pensaron que eran ellos quienes la habían robado.

Bueno, total, esa es la razón por la cual yo tengo que vivir con los chalados de mis tíos Ruth y Boris. Yo creo que los que deberían estar en el circo son ellos. ¡Están locos de atar!

El tío Boris siempre está fumando un puro. Lo lleva colgado a un lado de la boca. Cuando besa a mi tía, gira el puro con la lengua para apartarlo y la besa con el otro lado de la boca.

Me apuesto a que tú te crees que a la tía Ruth no le gusta que la besen así. Pues te equivocas. Siempre se ríe cuando lo hace. A veces ella también se fuma un puro. Ya te he dicho que estaban chalados.

¡Mira! Fuma su puro incluso mientras bebe zumo de tomate.

Sonó la campana. Bradley se quedó asombrado de lo deprisa que se le había pasado el tiempo.

–¿Quieres que comamos juntos hoy también? –preguntó a Carla.

–Lo siento, como con el presidente del consejo escolar –dijo Carla–. Hubiera preferido comer contigo.

A Bradley no le importó demasiado. Al menos tenía su libro para leer.

Se dieron la mano y Bradley volvió a clase. Dejó su pase en el gancho y se sentó en su sitio.

Estaba seguro de que haría un comentario de texto buenísimo porque tenía un libro fantástico.

«Solo espero no romperlo», pensó.

31

–¿QUÉ ESTÁS HACIENDO, Bradley? –preguntó Roni.

–Está le-yen-do –contestó con malos modos Bar-tolo–. Dice que no quiere que le dis-trai-gan. Ahora que hace los deberes, se cree demasiado importante como para hacernos caso.

–Anda, calla y deja que lea si es lo que quiere hacer –dijo Roni.

–Gracias, Roni. Sabía que lo comprenderías –dijo Bradley.

–Sabía que lo comprenderías –repitió en tono de burla Bartolo.

Roni lo comprendía. Sabía lo de Carla.

Bradley siguió leyendo:

La tía Ruth y el tío Boris están casados. ¿Que ya lo sabías? Pues no te pases de listo: la cosa es que ambos eran tíos míos incluso antes de casarse. El tío Boris es hermano de mi madre, y la tía Ruth es hermana de mi padre. ¡Ni siquiera se conocían antes de que arrestaran a mis padres por robar la elefanta! Los dos vinieron aquí para hacerse cargo de mí. ¡Ja! Se enamoraron y se casaron al cabo de una semana. ¡Qué espectáculo! ¡Tienes suerte de no haber estado aquí!

Estos dos me han birlado un tío y una tía. Si cada uno de ellos se hubiera casado con otro, tendría dos tíos y dos tías. Ahora solo tengo un tío y una tía. Me pregunto qué habrá sido de la tía y el tío que no tengo. ¿Se habrán casado el uno con el otro también?

Bradley levantó la cabeza del libro. Intentó comprender qué quería decir el último párrafo. Tenía que pensar. Muchas frases del libro le obligaban a pensar. Y eso le gustaba. También le hacía pensar en su padre. Se preguntaba por qué el hombre que le dio un tiro no estaba en la cárcel.

Alguien llamó a la puerta. Entró su madre. Llevaba una hoja en la mano.

–¡Ah, estás leyendo! –dijo–. Eso está muy bien.

–Es un buen libro –contestó Bradley.

–Acabo de recibir una carta de la Asociación de Padres –explicó–. Va a haber una especie de reunión para hablar de la señorita Davis, tu psicóloga.

El corazón de Bradley se puso a latir con fuerza.

–Dice que si tengo alguna queja, que acuda a la reunión –la señora Chalkers se encogió de hombros–. Realmente no tengo ninguna queja. Más bien creo que te está ayudando. ¿Tú tienes alguna queja?

–¡Qué va! ¡Él no tiene ninguna queja! –dijo Claudia entre risas mientras surgía detrás de su madre–. Está enamorado de ella. Se lo he oído contar a sus animalitos.

–¡Qué dices! –exclamó Bradley con una voz que le salió demasiado aguda.

–¡Mira, mamá, se ha puesto colorado! –se burló de él Claudia–. Eso demuestra que está enamorado.

Bradley deseó meterse debajo de la cama y desaparecer de su vista.

–No demuestra nada –contestó la señora Chalkers–. Deja de tomarle el pelo a tu hermano.

–¿Quién te ha dado ese libro, Bradley? –le preguntó Claudia, como si supiera de antemano la respuesta.

–Me lo prestó Carla –respondió Bradley, cuyo corazón latía velozmente.

–Se lo ha dado Carla –repitió Claudia.

–No me importa quién se lo haya dado –dijo la señora Chalkers–. Estoy feliz de ver a mi hijo leyendo.

–La única razón por la que está leyendo es porque está enamorado de su profesora –afirmó Claudia.

–No es mi profesora –corrigió Bradley a su hermana–; es mi psicóloga.

Claudia se echó a reír a carcajadas. Su madre también se rio, pero enseguida se tapó la boca con la mano.

–No he dicho que estaba enamorado de ella –precisó Bradley–. Solo he dicho que era mi psicóloga, no mi profesora.

–¿Le vas a dar permiso para que se case con ella, mamá? –preguntó Claudia.

–Bueno, no lo sé –dijo sonriendo la señora Chalkers–. Me parece que es una chica maravillosa.

Bradley sintió que le iba a dar un patatús. Su hermana estaba riéndose como una histérica.

–Así que no tienes ninguna queja de la señorita Davis –preguntó su madre ya con voz seria, retomando el asunto de la carta.

–Está bien –contestó Bradley con voz neutra.

Claudia se rio por lo bajo.

–Bueno, pues entonces no iré a la reunión –dijo su madre–. Vámonos, Claudia. Deja a tu hermano en paz.

–A la Asociación de Padres nunca les gusta nada –dijo Claudia–. También en mi colegio están siempre causando problemas. Quieren transformar a los niños en robots.

Bradley siguió con la mirada a su madre y a su hermana mientras salían de la habitación, y cerró la puerta tras ellas.

Se echó sobre la cama. Le ardía la cara.

«Así que estoy enamorado de ella. ¿Y qué tiene de malo?», se preguntó Bradley.

–Nada –le contestó Roni–. Ellas no entienden nada del amor.

La puerta se abrió de nuevo. Claudia se asomó y le espetó:

–¡Si la Asociación de Padres se entera de que Carla te ha besado, la echan fijo!

• 32

BRADLEY prestó mucha atención a las explicaciones de matemáticas que estaba dando la señorita Ebbel. Asentía con la cabeza cada vez que decía algo que él ya sabía. Una vez estuvo a punto de levantar la mano para contestar a una de sus preguntas, pero le fallaron los nervios. Otro alumno dio la misma respuesta que hubiera dado él.

«Lo sabía», se dijo mientras asentía con la cabeza.

Se había pasado todo el recreo en la biblioteca leyendo *Mis padres no robaron una elefanta*, de Uriah C. Lasso. Cuando estaba saliendo, la señora Wilcott le detuvo para preguntarle:

–Estabas leyendo, ¿verdad?

–Sí –contestó Bradley.

–Bien, Bradley. Me alegro.

Bradley sonrió al recordarlo. Pensó que las cosas le salían bien porque llevaba el libro de Carla. Era su amuleto de la suerte. Mientras lo llevara, nada podría irle mal.

También había desaparecido el moratón de su ojo.

Cuando sonó la campana del almuerzo, guardó su libro de mates, sacó su libro de la suerte y se dirigió hacia la mesa de la señorita Ebbel.

–Por favor, ¿puedes darme el pase? –pidió.

La señorita Ebbel se lo dio. Bradley estaba seguro de que no se opondría. Llevaba el libro mágico.

Fue al despacho de Carla. En el momento en que levantaba el puño para llamar a la puerta, esta se abrió.

–¡Bradley! ¡Qué sorpresa tan agradable! –dijo Carla.

–¿Quieres que comamos juntos? –le preguntó Bradley.

–¡Vaya! Lo siento. No puedo. Tengo que ir al despacho del director.

«A lo mejor sí que se ha metido en un lío», pensó Bradley mientras la miraba alejarse. «Quizá porque no cree en las normas. Ha debido de saltarse una sin darse cuenta. Tendría que haberla advertido».

Pero Bradley no se quedó muy preocupado. No se podía ni imaginar que le pudiera pasar algo malo a Carla.

Atravesó el salón de actos y salió afuera, al patio. Se sentó sobre los escalones que daban acceso al salón de actos y se comió su almuerzo. Al menos tenía su libro. Y eso era casi tan bueno como comer con ella.

No leyó mientras comía. Tenía miedo de que cayera comida sobre el libro aunque ahora estaba convencido de que los accidentes no existían.

Colleen Verigold pasó junto a él.

–Hola, Colleen –saludó Bradley.

Colleen se detuvo y le miró con una expresión extraña. Luego pasó de largo sin corresponder a su saludo.

A Bradley no le importó. Había saludado a Colleen porque sabía que a Carla le habría gustado que lo hiciera. Sentía que Carla le protegía. Y no le importaba que Colleen no le hubiera contestado porque en su corazón había oído la voz de Carla que le decía: «Hola, Bradley, es un placer verte hoy».

Terminó de comer y abrió su libro.

Adivina lo que han hecho hoy. Pues han empapelado el garaje. ¡Ya te dije que estaban locos! ¡A quién se le ocurre empapelar un garaje! ¡Y encima con un papel morado con motas amarillas!

Ni siquiera sé cómo entraron allí. El garaje ha estado cerrado con llave desde hace meses. La cerradura estaba estropeada, o algo por el estilo, de forma que no se podía abrir.

Me alegro de que al menos lo hayan abierto. Empezaba a oler bastante mal. El olor llegaba hasta el camino de entrada a la casa. Ahora solo huele a cola de empapelar.

No veo el momento de que vuelvan mis padres y pongan fin a tanta locura. El juicio es la semana que viene. Tienen que declararlos inocentes.

Lo que quiero decir es que, si hubieran robado una elefanta, me habría enterado, ¿verdad? ¿Dónde se puede esconder una elefanta?

–Mira, está leyendo –observó Robbie.

–No sabía que supiera leer –se burló Curtis.

Bradley levantó la vista. Estaba rodeado por Jeff y su pandilla.

–No sabe leer –dijo Brian–. Solo mira las ilustraciones.

Todos se rieron.

–¿Qué lees? –preguntó Russell.

Bradley cerró el libro y se puso lentamente de pie sobre los escalones de cemento.

–¡Chalkers, gallina! –le insultó Dan.

Andy se puso a botar su balón de baloncesto.

Bradley miró hacia atrás. Doug estaba cerrándole el paso a la puerta del salón de actos.

–¿Te pasa algo? –le preguntó Doug.

–Oye, Chalkers, ¿qué estás leyendo? –preguntó Robbie.

Bradley miró su libro y luego levantó la vista y miró desafiantemente a Robbie.

–Déjame verlo –dijo Robbie.

Bradley sujetó con fuerza el libro contra el pecho. Por nada en el mundo iba a permitir que estropearan el libro de Carla.

–Anda, vamos, Bradley –dijo Robbie–, solo quiero verlo.

Curtis soltó una carcajada.

–No sé para qué lo quieres si no sabes leer –dijo Robbie subiendo los escalones para llegar hasta donde estaba Bradley–. Dámelo y yo te lo leo.

Robbie alargó el brazo y apoyó la mano en el libro.

Bradley se la quitó de encima con un movimiento brusco.

–Vaya, vaya... Me parece que se está enfadando –dijo Brian.

–Solo quiero verlo –insistió Robbie alargando de nuevo el brazo para coger el libro.

Bradley se colocó el libro bajo el brazo izquierdo, y lo sujetó con fuerza contra el pecho. Cerró el puño de la mano derecha.

Robbie dio un paso atrás y llamó a Jeff.

—¡Vamos, Jeff, dale una clase! —apoyó Dan a su amigo.

Jeff se puso entre Andy y Russell.

—¡Bien! —exclamó Curtis.

—Esperad, chicos —dijo Andy—. Dejad que bajen los escalones.

Los chicos retrocedieron. Bradley, sujetando el libro, bajó los escalones y fue hasta donde le aguardaba Jeff.

—¿Bradley, quieres que te coja el libro? —preguntó Andy.

Bradley le miró con cara de duda.

—No te preocupes —le tranquilizó con voz sincera—. No lo estropearé.

Bradley entregó el libro a Andy y luego miró de nuevo a Jeff.

Estaban frente a frente, de pie sobre una zona de hierba y barro. El moratón del ojo de Jeff estaba ya marrón verdoso. Jeff levantó los puños.

Los demás chicos formaron un corro alrededor de Bradley y Jeff.

—¡Vamos, dale, Jeff! —lo animó Brian.

—Ponle el otro ojo morado —dijo Russell.

Bradley se preparó para entrar en acción. Levantó los puños… y los bajó. Se le había ocurrido una idea.

—Hola, Jeff —dijo.

Robbie soltó una risita.

Jeff miró a Bradley con los ojos como platos.

–Hola, Bradley –contestó.

Bradley sonrió. Luego le tendió la mano.

Jeff sonrió también. Era la primera sonrisa sincera en mucho tiempo. Dio la mano a su mejor amigo.

Los otros chicos se quedaron boquiabiertos. Nadie se atrevió a decir nada.

Finalmente, Andy rompió el silencio.

–Bradley, ¿quieres jugar al baloncesto? –le preguntó.

Bradley le miró con asombro.

–No soy muy bueno –se excusó.

–¿Y qué? Ninguno de nosotros es muy bueno –contestó Jeff, dándole una palmada en la espalda.

–¡Ya tenemos dos equipos con igual número de jugadores! –se alegró Robbie.

33

Bradley jugó de pena.

Dribló con dos manos. También pasó el balón a jugadores que no eran de su equipo. Pero lo peor de todo fue que, cada vez que le tiraban el balón, daba las gracias.

En ningún momento intentó encestar. No se atrevía. Finalmente, cuando su equipo iba perdiendo 28 a 6, todos le insistieron en que intentara encestar.

Bradley miró a su alrededor para ver a quién podía pasar el balón.

Jeff se sentó para que Bradley no se lo tirara.

–¡Vamos, tira! –le animó.

Los demás chicos de su equipo se sentaron también.

–¡Tira! –le dijeron.

Los chicos del equipo rival también se sentaron.

–¡Vamos, tira! –corearon.

Bradley se colocó frente a la canasta. Se concentró tanto para lanzar su tiro que no se dio cuenta de que tenía la lengua colgando a un lado de la boca. Luego lanzó el balón con fuerza por los aires. Cayó sobre la parte de atrás del aro, botó contra el tablero y entró en la canasta.

—¡Buen tiro! —exclamó Jeff.

—¡Así se hace! —dijo Andy dándole una palmada en la espalda.

Al principio, Bradley no se lo podía creer, pero luego vio el libro de Carla en el suelo, al pie de la canasta.

«Claro, ahora lo entiendo», pensó.

Todos se fueron a beber a la fuente. Bradley también fue, aunque no sentía sed. Pero, en cuanto vio agua, se dio cuenta de que sí tenía sed, solo que hasta ese momento no lo había notado.

—¡Bien jugado, Bradley! —le dijo Brian.

—Solo tienes que dejar de pasar el balón a los que no son de tu equipo —dijo Dan.

–A lo mejor lo que tienes que hacer es ponernos un ojo morado a todos los de tu equipo –dijo Robbie–. Así sabrías a quién tienes que pasar el balón.

Todos se rieron. Bradley también.

Jeff y Bradley fueron los últimos en alejarse de la fuente. Todos los demás se estaban yendo ya hacia la clase. Mientras bebían, sus miradas se cruzaron y los dos se echaron a reír.

–¿A ti quién te puso el ojo morado? –preguntó Bradley cuando acabó de reírse.

–Melinda –contestó Jeff.

–Es muy fuerte –admitió Bradley.

–¡Vaya si lo es! –exclamó Jeff.

Ambos volvieron a reírse.

–¡Mi libro! –exclamó de repente Bradley.

Corrió hacia la cancha de baloncesto donde lo había dejado.

Jeff movió la cabeza pensativamente mientras observaba a Bradley correr en busca de su libro.

«Qué rara es la vida», pensó.

Entró en el baño de chicos y se mojó la cara con agua fría. Tenía que sujetar el mando del grifo con una mano y llevarse el agua a la cara con la otra.

Colleen Verigold abrió la puerta.

Jeff la miró fijamente.

Ella miró a su alrededor, pegó un grito y salió corriendo.

Jeff vio cómo la puerta se cerraba tras ella.

34

A JEFF LE PARECIÓ que la vida era demasiado incomprensible como para entrar en clase.

«Si alguna vez quieres volver a hablar conmigo», le había dicho Carla, «no dejes de venir a verme. Aunque solo sea para escaparte de clase un ratito».

Jeff deseó que se lo hubiera dicho de corazón. Tenía que contarle muchas cosas a Carla, y, además, lo primero que quería hacer era excusarse.

Se dirigió lentamente hacia su despacho. Esperaba que no estuviera ocupada. Llamó a la puerta.

Carla la abrió y sonrió al ver a Jeff.

—¡Hola, Jeff! —le saludó.

—¡Hola, Carla! He... —Jeff cortó en seco la frase al ver que había otra persona sentada a la mesa redonda.

—Creo que os conocéis —dijo Carla.

—Hola, Colleen —murmuró Jeff mirando al suelo.

Colleen Verigold se tapó la cara con las manos.

—No te importa que Jeff se una a nosotros, ¿verdad, Colleen? —preguntó Carla.

Colleen negó con la cabeza sin quitarse las manos de la cara.

Jeff se sentó sintiéndose muy incómodo.

–La señorita Ebbel no sabe que estoy aquí –dijo.

–Te escribiré un justificante –dijo Carla.

Colleen asomó los ojos entre sus dedos y añadió:

–Tampoco yo debería estar aquí.

–¿Qué es lo que me tienes que contar tan urgentemente? ¿Lo puedes contar delante de Jeff? –preguntó Carla.

–Ya lo sabe –dijo Colleen–. Más te vale no contárselo a nadie –añadió mirando a su compañero de clase.

–No lo contaré –prometió Jeff.

–¿Qué es lo que no contarás a nadie? –preguntó Carla.

–Colleen se ha metido en el baño de los chicos –dijo Jeff–. Yo estaba dentro lavándome la cara.

–¡Jeff! –le recriminó Colleen–. ¡Me acabas de prometer que no se lo dirías a nadie!

–¡Uyy! –exclamó Jeff poniéndose colorado–. Pero solo se ha enterado Carla. Y se lo ibas a contar tú, ¿no?

–No me he metido a propósito, ha sido sin querer –explicó con una sonrisa Colleen a Carla.

–No creo que se hagan las cosas sin querer –contestó Carla.

Colleen la miró con cara de asombro. Se preguntó cómo podía saber Carla que había entrado aposta siguiendo a Jeff.

Colleen miró a Jeff.

–Siento haberte saludado cuando tú no querías que te saludara –se excusó.

–No importa.

–Pero ¿cómo querías que yo supiera que no te gustaba? Tú siempre me contestabas.

–Ya. No puedo evitarlo. Cuando alguien me saluda, tengo que devolverle el saludo –Jeff miró el dibujo del monstruo verde con seis manos colgado de la pared–. Si un inmenso monstruo temible me dijera: «Hola, Jeff», es muy posible que también le dijera: «Hola».

Colleen se rio.

–Bueno, ¿qué tiene eso de malo? –preguntó Carla–. Si un monstruo te saluda, tú también debes saludarlo. Y si no lo haces, me pregunto cuál de los dos es el verdadero monstruo.

Colleen frunció el ceño. Acababa de recordar que Bradley Chalkers la había saludado al comienzo del recreo y ella se había alejado sin decirle nada. Se sintió fatal.

–Me puedes saludar siempre que quieras –dijo Jeff.

Colleen sonrió.

–Hola, Jeff –dijo.

–Hola, Colleen –contestó Jeff.

–He leído en algún sitio –dijo Carla– que en zen la regla más importante es que cuando alguien te saluda debes devolverle el saludo.

–¿Qué es zen? –preguntó Colleen.

–Una religión –contestó Carla. Cogió un libro de la estantería–. Aquí está –dijo, y leyó en voz alta una frase del libro *Levantad, carpinteros, la viga maestra*, de J. D. Salinger–: «En ciertos monasterios zen, es una regla capital... que cuando un monje le grita "hola" a otro monje, este último debe devolverle el saludo sin pensárselo».

–¡Jeff tendría que ser un monje zen! –exclamó feliz Colleen.

Jeff se rio.

–Siempre saludo a quien me saluda –dijo con orgullo.

–¿Las niñas también podemos ser monjes zen? –preguntó Colleen.

–¿Por qué no? –respondió Carla.

Colleen se rio feliz. Luego preguntó a Jeff:

–Jeff, ¿quieres venir a mi fiesta de cumpleaños el domingo que viene?

–¡Sí! –contestó Jeff–. Esta es la segunda regla más importante de un monje zen: cuando otro monje zen te invita a una fiesta de cumpleaños, debes contestar «sí».

Colleen se rio de nuevo.

–Eres el único chico que he invitado por ahora –le dijo–. Invitaré a uno más, pero solo a uno. No puedo invitar a demasiados chicos...

De repente, Colleen puso una cara muy seria. Sabía que debía hacer una cosa.

35

ANTES DE CENAR, hasta que se hizo de noche, el padre de Bradley, a pesar de su pata coja, le enseñó a su hijo a driblar. Bradley no veía el momento de hacer una demostración a sus amigos.

La mañana siguiente, cuando tocó la campana del recreo, todos salieron corriendo al patio.

Menos Bradley.

Primero, puso su hoja en su carpeta. Luego, marcó la página del libro. Después, metió sus lápices en el estuche. Entonces, guardó todo ordenadamente en su pupitre.

Y salió corriendo por la puerta.

–Hola, Bradley –dijo Colleen.

Bradley se quedó petrificado.

Colleen cerró los ojos con fuerza; luego, los abrió. Con la determinación de un monje zen, preguntó a Bradley:

–¿Quieres venir a mi fiesta de cumpleaños el domingo?

Bradley la miró con asombro.

–Vendrá Jeff –explicó Colleen–. Es el único otro chico al que he invitado. Todas las demás son niñas. Te lo habría dicho antes solo que..., bueno, me acabo de enterar de qué día va a ser.

Bradley asintió con la cabeza hasta que finalmente logró abrir la boca.

—Sí —contestó.

—Bien —respondió Colleen, y se marchó rápidamente.

Bradley se quedó mirándola mientras se alejaba; luego empezó a dar vueltas sobre sí mismo intentando recordar adónde se dirigía.

—¡Bradley, date prisa, te necesitamos! —le chilló Andy.

Bradley fue corriendo hacia la cancha de baloncesto. No recordaba nada de lo que había aprendido sobre cómo driblar.

—¿Va a venir? —preguntó Melinda.

Colleen asintió con la cabeza.

Lori sacó la lengua y dio un grito.

—Será divertido —dijo Melinda—. Bradley ha cambiado. Yo creo que a mejor.

—Melinda, ahora tú no puedes venir —dijo Colleen.

—¿Por qué? —preguntó dolida Melinda.

—Porque vienen ellos y tú les pegaste.

—Pero empezaron ellos —se defendió Melinda.

Colleen la miró fijamente con los brazos en jarras. No se podía creer que Melinda fuera tan poco razonable.

—Creía que era tu mejor amiga —dijo Melinda.

—Lo eres —dijo Colleen—. Pero ellos son chicos. Bueno, vale. Puedes venir. Pero más te vale no armar jaleo.

—Yo creía que era tu mejor amiga —dijo Lori.

Esa noche, ya en la cama, Bradley estaba tan nervioso que no lograba conciliar el sueño. No veía el momento de que fuera el día siguiente y pudiera ver a Carla de nuevo. ¡Tenía tantas cosas para compartir con ella! Y todo gracias a su libro mágico.

Encendió la luz sobre su cabeza y leyó en voz alta a Roni y Bartolo. Estos se reían siempre que lo hacía.

Acabo de conocer a Ace. Es el abogado de mis padres. ¡Es increíble! ¡Está más loco que mis dos tíos juntos! Lo primero que me dijo fue:

–¿Te gustan los cacahuetes?

–No están mal –contesté.

–Bien –respondió.

Me dio un cacahuete y me lo comí.

–¿Quieres otro cacahuete? –me preguntó.

Yo me encogí de hombros. Así que me dio otro cacahuete, y me lo comí también. ¡Vaya chollo!

–Te tienen que gustar un montón los cacahuetes –me dijo.

Ya te dije que estaba chiflado.

–Quiero que te acuerdes muy bien de esto: si alguien te pregunta si te gustan los cacahuetes, debes decir que te encantan.

–Vale, pues me encantan los cacahuetes –dije.

Entonces me dio tres más.

–Cómete estos –me dijo.

Yo me los comí.

–Acabas de comerte tres cacahuetes en cinco segundos –me dijo.

¿A que es increíble? Me había cronometrado. Dime que no está loco de atar.

–No está loco –se rio Roni.

–¿Por qué habla tanto de cacahuetes? –preguntó Bartolo.

–No lo sé –respondió Bradley.

Se oyó que alguien golpeaba con fuerza a la puerta. Tras llamar, su padre entró en la habitación.

–Deberías estar ya dormido, Bradley –le reprendió.

–De acuerdo –contestó Bradley alargando el brazo para apagar la luz.

–Ah, estabas leyendo –se dio cuenta su padre–. Bueno, entonces no importa. Puedes quedarte despierto un rato más si vas a leer.

Bradley sonrió. El libro mágico había vuelto a surtir efecto y le había evitado una regañina.

–¿Qué les pareció a tus amigos cómo driblas? –indagó su padre.

–Se me olvidó cómo se hacía –admitió Bradley, aunque odiaba decepcionar a su padre.

–A ver si este fin de semana te pongo una canasta en el garaje.

Tras darle las buenas noches, su padre salió de la habitación.

–Vamos, quiero saber qué pasó con los cacahuetes –le apremió Bartolo.

Bradley siguió leyendo.

Luego me preguntó:
–¿Se te dan bien las matemáticas?
Bueno, no me gusta presumir, pero da la casualidad de que es la asignatura que mejor se me da.

—Bien, pues a ver si resuelves este problema —me dijo—. Si te puedes comer tres cacahuetes en cinco segundos, ¿cuánto tiempo tardarías en comerte cincuenta mil cacahuetes?

Saqué papel y lápiz y lo calculé.

—Unas veintitrés horas y nueve minutos.

—O sea, menos de un día, ¿verdad? —me interrogó.

—Sí —respondí—. El día tiene veinticuatro horas.

¡Se supone que es el abogado de mis padres y ni siquiera sabe cuántas horas tiene el día!

—¡No lo olvides! —me dijo—. Si alguien te lo pregunta, puedes comer cincuenta mil cacahuetes al día.

Yo me reí.

—¿Y quién va a preguntarme eso?

—La policía.

Así acababa el capítulo.

173

36

BRADLEY CAMINABA RIÉNDOSE hacia el despacho de
Carla para asistir a su cita semanal. No veía el momento
de contarle todo lo que le había ocurrido.

«Se pondrá tan contenta...», pensó.

Ella le estaba esperando en el pasillo, en la puerta
de su despacho. Pero antes de que pudiera decirle algo,
Bradley se le adelantó:

–Hola, Carla –le dijo–, es un placer verte hoy. Agradezco mucho venir a verte.

–El placer es mío –respondió Carla sonriendo.

Bradley se rio. Le resultaba gracioso ser tan educado.

Bradley y Carla se dieron la mano y luego entraron
y se sentaron frente a la mesa redonda. Carla llevaba
una blusa azul marino, casi negra, con estrellitas blancas. Parecía el cielo nocturno.

–Bueno, ¿qué hay de nuevo? –preguntó Carla.

Bradley abrió la boca, pero no salió nada de ella. Por
alguna razón, que él mismo desconocía, no quería contárselo.

–Y tú, ¿qué tienes que contarme de nuevo? –preguntó a Carla.

–¿Contarte yo? –preguntó Carla–. Eso no me lo ha preguntado nunca nadie.

–Tú siempre me estás preguntando qué hay de nuevo –dijo Bradley–; ¿por qué no puedo preguntártelo yo a ti?

–¡Claro que puedes! –respondió Carla–. Me puedes preguntar todo lo que quieras. Déjame pensar. ¿Qué hay de nuevo? Pues me compré ayer una cortina de ducha. Pero eso no es muy interesante, ¿verdad?

–¿De qué color? –preguntó Bradley.

–Bueno, pues como beis. No lo sé; realmente no es de un color muy definido.

–Es un buen color –dijo Bradley–. Suena precioso.

–Está bien –dijo Carla.

–¿Qué le pasó a tu cortina de ducha anterior? –preguntó.

–Empezaba a estar un poco pasada –dijo Carla.

–¿Era beis también?

–Mmm..., no –dijo Carla–. Creo que era amarilla cuando estaba nueva, pero se había puesto de un color marrón verdoso cuando...

–¡Colleen me invitó ayer a su fiesta de cumpleaños! –interrumpió Bradley incapaz de contenerse más. Y se puso a contárselo todo–: Jeff también está invitado. Somos los dos únicos chicos invitados. Todas las demás son niñas. Jeff y yo somos amigos otra vez. También les caigo bien a los otros chicos. Jugamos juntos al baloncesto. Al principio me daba miedo tirar a encestar, pero todos me chillaron: «¡Tira, Bradley, tira!», así que tiré ¡y encesté! Se quedaron todos asombrados. Yo también.

Sigo fallando más tiros de los que encesto, pero estoy mejorando. Me lo dice todo el mundo. Mi padre me ha enseñado a driblar. Me va a colgar una canasta en el garaje. Al principio me querían pegar, pero yo dije: «Hola, Jeff», y él me dijo: «Hola, Bradley», y entonces Andy me dijo si quería jugar al baloncesto. Luego Colleen me invitó a su fiesta de cumpleaños y yo contesté: «Sí», y ella me contestó: «Bien». Me habría invitado antes, pero se acababa de enterar de qué día había nacido.

Menos mal que Carla ya sabía casi todo lo que Bradley le estaba contando. Si no, no hubiera entendido nada.

–Y todo gracias a ti –acabó Bradley.

–Lo has conseguido tú, Bradley, no yo –respondió Carla.

–¡Ha sido gracias a tu libro mágico! –afirmó Bradley.

–¿Mi libro? ¿Qué tiene que ver mi libro con...? Bradley, ¿qué te pasa?

Bradley se había echado a llorar. En cuestión de segundos, había pasado de estar feliz hablando de su libro mágico a sollozar, con hipidos que sacudían todo su cuerpo.

–¿Bradley?

Bradley se tapó la cara con las manos. Las lágrimas se deslizaban por su rostro.

–¿Qué te pasa? –le preguntó Carla–. ¿Te han hecho algo?

Bradley negó con la cabeza.

Carla se levantó de la mesa, cogió una caja de pañuelos de papel y la puso delante de Bradley.

Bradley sacó un pañuelo, pero no lo usó.

–Nunca he estado en una fiesta de cumpleaños –balbuceó. Luego, tras un sonoro hipo añadió–: En una fiesta de verdad, con otros niños –hipó otra vez y se sonó la nariz–. Hace mucho tiempo, cuando estaba en tercero, fui a una, pero me mandaron a casa porque me senté encima de la tarta de cumpleaños.

–Bueno, pero ahora eres mucho más listo que cuando estabas en tercero –le consoló Carla.

–Pero no me acuerdo de qué tengo que hacer –gimoteó Bradley–. ¿Tengo que llevarme mi silla?

–¿Para qué quieres llevar una silla? –preguntó intrigada Carla.

–Para jugar a las sillas. Por eso me senté en la tarta. Me puse furioso porque no quedaba ningún otro sitio donde sentarse –Bradley se sorbió los mocos y preguntó–: ¿Habrá helado?

–¿No te gusta el helado? –le preguntó Carla.

–¿Y si no queda para mí? ¿Si solo hay para los demás? ¿Tendré que jugar a ponerle la cola al burro?

–No hace falta que te lleves un burro –se rio Carla.

Bradley también se rio entre lágrimas.

–Pero ¿qué me pasará si lo pincho en un sitio malo?

–¿Quieres que te diga lo que pienso? –le preguntó Carla–. Creo que estás un poco sobrepasado por todo lo que te ha ocurrido. Te ha asustado. Te crees que eres la Cenicienta.

–¿La Cenicienta? –repitió Bradley, y se rio de nuevo.

–Eres la Cenicienta y te acaban de invitar al baile y te asusta pensar que en medio de la fiesta de Colleen todo se convertirá de repente en una calabaza.

Bradley se secó los ojos con el pañuelo de papel.

–Te asusta pensar que todas las cosas buenas que te están ocurriendo desaparecerán súbitamente –siguió Carla–. Te asusta que de pronto dejes de caer bien a todo el mundo. Pero esto no es un cuento de hadas, Bradley. A tus amigos les caes bien por ser quien eres. Mi libro no es mágico. La magia está en ti.

–¿Tengo que llevar un regalo? –preguntó Bradley.

–No tienes que hacer nada –le aseguró Carla–. Pero es un detalle bonito, ¿no crees? Colleen te ha invitado a su fiesta porque le caes bien y tú le llevas un regalo porque ella también te cae bien a ti y porque quieres participar en su celebración de cumpleaños.

–¿Qué le compro? ¿Tengo que comprarle una muñeca? A las niñas les gustan las muñecas, ¿no?

–No lo sé. Cada cual tiene su propio gusto. Cómprale algo que te guste a ti. Si a ti te gusta, es muy probable que a ella también le guste. Hazle un regalo que te salga del corazón.

–¿Qué te parece una cortina de ducha? –preguntó Bradley.

–Si lo haces de corazón... –respondió Carla. Bradley sonrió.

Cuando se acabó el tiempo y era hora de que Bradley volviera a clase, Carla le dijo:

–He disfrutado mucho con tu visita. Gracias por compartir tantas cosas conmigo.

–El placer ha sido mío –respondió Bradley. Había estado esperando el momento de decírselo.

37

La reunión de Carla Davis con la Asociación de Padres se celebró al acabarse las clases, en el aula 8, de segundo curso.

Carla se sentó en una silla demasiado pequeña para ella, frente a los padres. Cruzó los tobillos y puso las manos sobre el regazo. Los cinco miembros del consejo escolar se sentaron detrás de ella. El director se situó a su lado, en la mesa del profesor.

La madre de Bradley no fue a la reunión. Había salido con su hijo a comprar el regalo de cumpleaños de Colleen. Como no tenía ninguna queja, no se había molestado en ir. Solo estaban allí los padres que tenían quejas.

–Me gustaría saber para qué necesitan nuestros hijos asesoramiento psicológico –inquirió un padre–. Los chicos reciben demasiado asesoramiento. Y lo que necesitan es menos asesoramiento y más disciplina. Si se portan mal, deben ser castigados.

Los demás padres aplaudieron sus palabras.

–Necesitamos reforzar las asignaturas básicas –afirmó una mujer–. Lectura, escritura y matemáticas. Y, por supuesto, informática.

Su marido llevaba en una hoja un cuadro en el que se mostraba que si se despedía a la psicóloga habría dinero para poner un ordenador en cada aula.

A todo el mundo le emocionó esa idea. Eran todos unos apasionados de los ordenadores.

–No vamos a despedir a nadie –afirmó el director–. La finalidad de esta reunión es daros la oportunidad de hacerle preguntas a la señorita Davis.

–Le dijo a mi hijo que suspender era bueno –gritó una mujer sentada bajo el póster de un pulpo–. Le dijo que no importaban las notas.

–Nunca he dicho que fuera bueno suspender –respondió con calma Carla–. Simplemente intenté ayudarle a relajarse. Los niños aprenden mejor cuando no están presionados. Sus resultados mejoran cuando disfrutan del colegio.

–Mi hijo no va al colegio a pasárselo bien –contestó la mujer–. Tiene que sacar buenas notas para poder entrar en una buena universidad.

El director recordó a los padres que la señorita Davis no veía a ningún niño sin el consentimiento escrito de sus padres.

–No entiendo por qué hemos de pagar con nuestros impuestos que un extraño aconseje a nuestros hijos –se quejó otra madre.

Otros padres expresaron el mismo parecer.

Una mujer pelirroja se puso en pie:

–Mi hija vino a casa con una de esas hojas de autorización para que la firmásemos, y nos negamos. No queremos que la vea la psicóloga. Intentamos darle toda la ayuda que necesita en casa. Pero luego nos hemos enterado de que ha estado hablando con ella de todos modos.

–¿Cómo se llama su hija? –preguntó el director.

–Colleen Verigold –contestó la señora.

Carla admitió que había visto a Colleen sin el permiso de sus padres.

–Colleen entró en mi despacho muy disgustada y me dijo que tenía que hablar conmigo –explicó–. Me dijo que era un asunto urgente.

–¿Y de qué tipo de asunto urgente se trataba? –preguntó el presidente del consejo escolar.

–Era un tema muy personal –respondió Carla.

–Pero ¿de qué se trataba? –insistió el presidente del consejo escolar.

–Lo siento –respondió Carla–, nunca cuento nada de lo que me cuentan mis niños –Carla sabía que Colleen no querría que nadie descubriese que había entrado en el baño de los niños.

–No debes recibir a ningún niño sin la autorización de sus padres –dijo el presidente del consejo escolar–. Si era un tema realmente urgente, quizá esté justificada tu actuación. Pero necesitamos saber de qué se trataba.

–Lo siento –se excusó Carla.

–A mí me lo puedes contar –dijo la señora Verigold–. Soy su madre. Si es un tema realmente importante, ¿no crees que yo tendría que saberlo?

–Pregúnteselo a Colleen. Si ella quiere contárselo, se lo contará. Yo le he prometido no contárselo a nadie y no debo faltar a mi palabra.

–Pero Colleen es solo una niña. No hace falta mantener la palabra que se da a los niños –dijo un miembro del consejo escolar.

–Yo sí que la mantengo –respondió Carla.

–Ha estado intentando que cambie de religión –se quejó la madre de Colleen–. Colleen llegó un día a casa diciendo que ya no quería ser católica, que quería ser un monje zen.

Carla se rio, aunque sabía que cometía un error al hacerlo. Quiso explicar lo de devolver el saludo, pero nadie pareció entender qué tenía que ver eso con lo de ser un monje zen.

–No le está permitido enseñar religión en un colegio público –le dijo el presidente del consejo escolar–. Y además no tendría que haber recibido a la niña sin autorización –añadió, tras lo cual se excusó con la madre de Colleen y le aseguró que no volvería a ocurrir.

Una mujer sentada en primera fila levantó la mano y dijo:

–En mi colegio no había psicólogo. No entiendo muy bien qué hace realmente.

–¿Por qué no explicas a los padres qué haces y qué tipo de ayuda das a cada niño? –sugirió el director.

–En la mayoría de los casos, solo hablo con ellos –dijo Carla–. Me cuentan sus problemas, pero nunca les digo qué tienen que hacer. Intento ayudarlos a que piensen por sí mismos.

–Pero para eso está el colegio, ¿no? –preguntó una señora–. Para enseñar a los niños qué tienen que pensar.

–Creo que es más importante enseñarles cómo pensar, en vez de qué deben pensar –respondió Carla.

–Pero si hacen algo que está mal, no les dice que no deben hacerlo –preguntó el hombre sentado junto a la señora.

–No –respondió Carla–. Creo que es mejor que ellos mismos se den cuenta.

–¿Qué haría si un niño mordiera a su profesora? –preguntó un padre.

–¿Qué? –preguntó con asombro Carla.

–¿No le diría que no la mordiera? –preguntó.

–No. Hablaría con él sobre lo ocurrido e intentaría averiguar por qué la mordió, pero...

–¿Qué ocurriría si siguiera mordiéndola? –preguntó el hombre–. ¿Si todos los días se acercara sigilosamente a ella por la espalda y le diera un mordisco en el trasero? Entonces, ¿qué haría?

–Esto es ridículo –dijo Carla.

–Dile qué harías –dijo el director.

Carla suspiró.

–Intentaría ayudar al niño a que comprendiera qué es lo que le impulsa a morder a su profesora, y le ayudaría a llegar a la conclusión de que no debería hacerlo.

–¿Y cuánto tiempo le llevaría eso? –preguntó una mujer.

–No lo sé.

–¿Un mes? –insistió la señora.

–Quizá –respondió Carla.

–Y durante todo ese tiempo el niño seguiría mordiendo a su profesora –dijo el hombre–. ¡Podría resultar seriamente herida!

–Podría incluso resultar muerta –dijo otro hombre–. ¿Cómo se sentiría usted entonces?

–¿Y si el niño tuviera la rabia? –gritó otra persona–. ¿No cree que le haría falta ponerle una vacuna contra la rabia?

–¡Me juego el cuello a que pensaría de otra forma si fuera a usted a la que le dieran mordiscos en el trasero! –chilló alguien desde el fondo del aula.

Todos se pusieron a hablar a la vez.

–¿Qué haría si la mordieran a usted?

–¿A que entonces sí que castigaría al niño?

–Entonces no esperaría a que pensara por sí mismo, ¿a que no? Eso cambiaría las cosas.

–¿Qué haría si la mordieran a usted?

Carla descruzó los tobillos, luego los volvió a cruzar al revés. Mientras observaba al grupo de padres furiosos, tuvo la horrible sensación de que todos querían morder su trasero.

38

Bradley Chalkers
Deberes
Comentario del libro
Mis padres no robaron una elefanta,
de Uriah C. Lasso
Clase de la señorita Ebbel
Aula 12
Colegio Red Hill
Último pupitre, última fila
Al lado de Jeff

MIS PADRES NO ROBARON UNA ELEFANTA,
de *Uriah C. Lasso,*
por Bradley Chalkers

Mis padres no robaron una elefanta *es un libro muy
divertido y raro de Uriah C. Lasso, un autor muy divertido
para escribir un libro así. Es un cuento contado por un niño.
Los padres del niño están en la cárcel por robar una elefanta,
pero son inocentes. ¡Vaya! Me acabo de dar cuenta de una*

cosa. ¿Sabes qué? Pues que no sabes cómo se llama el niño. Me acabo de dar cuenta. ¿Y sabes otra cosa? Tampoco sabes si el niño es un niño o una niña. Me acabo de dar cuenta al escribir este informe porque no sabía si poner ella o él. ¡Ya te he dicho que era un libro muy loco!

El niño, o lo que sea, vive con su tía y su tío. Ellos también están locos. Empapelan el garaje porque sí, sin ningún motivo. Ya te he dicho que estaban chalados.

Ace también está loco. Es el abogado de los padres del niño, o lo que sea. Le hace practicar todos los días durante una hora para que llore bien cuando vaya al juicio. Pero cuando el niño, o lo que sea, va por fin al juicio no llora: ¡se echa a reír!

Entonces, todos los demás también se ríen. Entonces, los padres del niño se marchan a casa porque son inocentes.

Pero ¿sabes una cosa? Yo no estoy muy seguro. Es que, si de verdad eran inocentes, ¿quién se comió todos los cacahuetes?

Ya te he dicho que era una historia muy rara.

FIN

–¡Fantástico! –exclamó Carla.

–¿Está bien? –preguntó Bradley.

–Has logrado captar la esencia del libro –afirmó Carla.

Bradley sonrió aunque no sabía qué significaba «esencia».

Estaban sentados frente a la mesa redonda. Era jueves, antes de empezar las clases. Bradley tenía que entregar su comentario ese día, pero quería leérselo primero a Carla por si lo rompía.

Carla llevaba un jersey rosa de lana muy suave.

–Siempre me he preguntado qué pasó con los cacahuetes –dijo.

–Yo también –contestó Bradley–. Además, podrían haber escondido la elefanta en el garaje. Por eso lo empapelaron: para ocultar las huellas dactilares.

–¿Tienen huellas dactilares los elefantes? –preguntó Carla.

–A lo mejor tienen huellas *trompales* –se rio Bradley–. Bueno, tengo que irme a clase. Te devuelvo tu libro. Gracias. No lo he garabateado, ni he tirado comida encima ni nada de nada.

–Me gustaría que te lo quedaras –dijo Carla–. Es el regalo que quiero hacerte.

–Pero yo creía que era uno de tus libros favoritos –objetó Bradley.

–Lo es. Por eso mismo quiero regalártelo. Si no me gustara, no sería un buen regalo, ¿verdad?

–Me gustaría poder regalarte algo a ti –dijo Bradley con una amplia sonrisa.

–Me acabas de hacer un regalo –contestó Carla.

–¿Yo? ¿Qué te he regalado? –preguntó sorprendido.

–El comentario del libro.

A Bradley se le borró la sonrisa.

–¿Qué te ocurre? –dijo Carla.

–Bueno, me parece que se lo tengo que entregar a la señorita Ebbel, pero... ¡no importa! Te lo puedes quedar. No sería un buen regalo si yo no lo quisiera también.

Carla se rio y negó con la cabeza.

–Te lo agradezco mucho, Bradley, pero no era esa mi intención. Quiero que se lo entregues a la señorita Ebbel. Has hecho un trabajo estupendo y eso me ha hecho muy feliz. Ese es el regalo que me has hecho.

–¿De verdad?

–De verdad. Era el mejor regalo que podías hacerme.

Bradley se alegró. Podía hacerle el regalo a Carla sin dejar de entregárselo a la señorita Ebbel.

–¿Qué te pasa? –preguntó al mirar a Carla.

Carla se enjugó los ojos. Le temblaban las comisuras de los labios.

–¿Estás llorando? –le preguntó.

–Bradley, te tengo que contar una cosa. Espero que puedas escucharme sin alarmarte ni disgustarte.

Bradley se sintió de repente muy alarmado y asustado.

–Mañana es mi último día aquí, en el colegio Red Hill.

–¿Qué?

–Por eso me alegra tanto que hayas hecho un comentario tan bueno. Sé que puedes seguir trabajando igual de bien sin mí. Estoy muy orgullosa de ti.

–¿Te marchas?

Carla contestó afirmativamente con la cabeza.

–Me han trasladado –explicó–. Voy a dar clase en infantil en el colegio Willow Bend. Pero quiero darte las gracias, Bradley. Has hecho que mi breve paso por este colegio sea muy especial. Estoy muy contenta de que nos hayamos conocido.

–¿Te vas? –volvió a preguntar Bradley.

–Podemos seguir viéndonos –dijo Carla–. El sábado voy a...

Bradley negó con la cabeza.

–¡No, no puedes irte! ¡No es justo! –exclamó.

–Tengo que hacerlo.

–¿Y qué pasaría si dejo de hacer los deberes? –dijo Bradley, que no se podía creer que Carla se fuera a marchar–. Entonces tendrás que quedarte para que quiera volver a hacerlos.

Carla le sonrió con cariño. Sus ojos azules brillaban.

–Bradley, ahora vas a estar solo. Sé que te las vas a arreglar estupendamente.

–¡No! ¡No es justo! –Bradley se puso en pie–. ¡Me has engañado!

Carla también se levantó de la silla y se acercó a él.

–¡Te odio! –le gritó Bradley a la cara.

–Sé que no has querido decir eso.

–¡Sí que lo quería decir! ¡Y también odio tu estúpido libro! –añadió cogiendo *Mis padres no robaron una elefanta* y arrojándoselo. Luego cogió su informe de lectura...

–Bradley, por favor –intentó detenerle Carla.

Bradley rasgó la hoja en dos. Luego estiró los labios tanto que no se sabía si su gesto era una sonrisa o una mueca de disgusto.

Rompió en más pedazos su comentario y los arrojó al suelo.

–¡Te odio! –volvió a gritar a Carla, y luego salió corriendo de su despacho.

Bradley se metió en el baño de los chicos. Se inclinó sobre el lavabo y se echó a llorar. Sentía el latido de sus sienes mientras observaba cómo el agua desaparecía por el desagüe.

Oyó que alguien llamaba a la puerta.

–Bradley, ¿estás bien? –preguntó Carla.

–¡Vete! –gritó Bradley–. ¡Te odio!

La puerta se abrió lentamente y Carla entró en el baño.

–Tú no puedes entrar aquí –dijo Bradley.

–Me parece importante que hablemos –dijo Carla–. Los problemas entre amigos se resuelven así, hablando. Por eso nos hemos hecho tan amigos. Porque hemos aprendido a hablar el uno con el otro.

–¡No soy tu amigo! ¿Por qué querría yo ser tu amigo? ¡Te odio!

–Tú me caes bien, Bradley. Me puedes caer bien aunque yo no te caiga bien a ti, ¿no?

–No pienso ir a la fiesta de Colleen –afirmó–. Y Jeff tampoco me cae bien, y no pienso hacer jamás los deberes, y voy a suspender siempre todos los controles.

–¿Quieres saber lo que pienso? Pienso que, ahora que me marcho, te preocupa que todo vuelva a ser como antes. Crees que Jeff no querrá seguir siendo tu amigo y que Colleen no querrá que vayas a su fiesta y que la señorita Ebbel te pondrá malas notas por más que te esfuerces.

–¡Este es el baño de los chicos!

–Pero no he sido yo la que he transformado como por arte de magia tu vida, Bradley –afirmó Carla–. Has sido tú. Tú no eres la Cenicienta y yo no soy el príncipe.

–No te está permitido entrar en este baño –dijo con frialdad Bradley.

–Voy a necesitar ayuda el sábado para llevarme todas las cosas de mi despacho –dijo Carla–. Te estaría
muy agradecida si pudieras echarme una mano. Después, nos podríamos ir a comer juntos. Podríamos ir a
un restaurante, los dos solos.

Bradley quería echarse en sus brazos, sentir su suave
jersey rosa, pero no podía. Sentía como si se le estuvieran desgarrando las entrañas.

–Será divertido –dijo Carla–. Y me serías de gran
ayuda.

–Necesito usar el váter –dijo Bradley.

–¿Nos vemos el sábado? –dijo Carla–. Me gustaría
mucho –añadió dándose media vuelta y dirigiéndose
hacia la puerta.

Bradley se quedó en el cuarto de baño hasta que
sonó la campana. Luego se fue a su casa; se sentía enfermo.

39

Roni daba saltitos mientras canturreaba: «Du, di du, di du».

Todos los demás animales estaban reunidos.

–¿Qué estáis haciendo? –preguntó Roni.

–Estamos hablando –respondió el león.

–Y tú no puedes escuchar –añadió el canguro.

–Bueno, vale –dijo Roni, y esperó a que los animales terminaran de hablar.

Cuando acabaron, el león le dijo:

–Ya hemos terminado. Hemos votado todos que ya no nos caes bien.

Roni se alejó a saltos. De repente, se cayó en unas arenas movedizas.

–¡Socorro! –gritó–. ¡Bartolo, sálvame!

–No, no te voy a salvar. Y tampoco voy a casarme contigo –afirmó Bartolo.

Roni se hundió en las arenas movedizas y se murió.

40

LA MADRE DE BRADLEY le puso el termómetro y le dijo que no tenía fiebre, que estaba bien.

–¡No estoy bien! –dijo Bradley disgustado.

–Claro que no está bien –le apoyó Claudia–. Está fatal... de la cabeza.

Bradley sentía que tenía un nudo en el estómago. Y cada vez que pensaba en Carla, el nudo le apretaba más.

–¡La odio, la odio! –repetía mientras se dirigía lentamente hacia el colegio. Cada vez que decía que la odiaba, el nudo de su estómago se aflojaba un poquitín.

Bradley se sentó en su sitio, al fondo de la clase de la señorita Ebbel, en el último pupitre de la última fila.

–Hola, Bradley –le saludó Jeff, sentándose a su lado–. ¿Qué te pasó ayer? ¿Estabas enfermo?

Bradley no contestó. Jeff ya no era su amigo. Él no tenía ningún amigo.

–Bradley, ¿puedes venir, por favor? –le llamó la señorita Ebbel.

Bradley se acercó hasta la mesa de la profesora arrastrando los pies.

–Ayer estuve enfermo –se excusó–. Llama a mi madre si no me crees.

Pero la señorita Ebbel no estaba pensando en eso.

–Solo quería decirte que me ha gustado mucho el comentario de tu libro –dijo–. Me ha dado ganas de leérmelo.

–¿Qué?

–Me lo dio ayer la señorita Davis –explicó la señorita Ebbel–. Me explicó que lo había roto por error.

Bradley la miró con asombro. Luego vio sobre la mesa de la profesora su comentario pegado con cinta adhesiva. En el margen superior, en rojo, ponía *Sobresaliente*.

–Te he puesto una estrella dorada –dijo la señorita Ebbel.

Bradley cogió su comentario y volvió corriendo a su sitio.

Allí estaba, junto al nombre Bradley Chalkers. ¡Una estrella dorada! Se sentó lentamente mientras la contemplaba. Parecía brillar más que todas las demás estrellas.

El nudo que tenía en el estómago se tensó aún más y tuvo que mirar hacia otro lado. La estrella le hacía acordarse de Carla.

«Es una mentirosa», pensó. «Dijo que lo había roto ella sin querer cuando lo rompí yo a propósito. La odio».

Tiró el comentario del libro al fondo de su pupitre. El nudo de su estómago se aflojó.

Bradley se pasó todo el recreo caminando. Los otros chicos le llamaron para que fuera a jugar con ellos al baloncesto, pero hizo como que no los oía. Simplemente, siguió andando.

«De acuerdo», pensó. «Pasaré a verla a la hora de comer. Solo le diré adiós, solo eso».

—Te estábamos buscando todos para jugar al baloncesto —dijo Jeff cuando volvió a clase—. Les he dicho que no te sentías muy bien aún.

—No estoy malo —dijo Bradley—. Me siento bien.

Cuando sonó la campana del recreo, Bradley se acercó a la mesa de la señorita Ebbel con la intención de pedirle el pase.

—Dime —le dijo la señorita Ebbel.

Bradley no podía hablar. El nudo de su estómago era tan fuerte que estrangulaba sus cuerdas vocales.

Se metió las manos en los bolsillos y salió afuera. Se sentó en una esquina del patio lejos de todo. Creyó ver a Carla en dos ocasiones: la primera vez resultó ser una niña de tercero; la segunda, resultó ser un árbol. No comió: tenía las tripas demasiado tensas para poder probar bocado.

—He estado con Carla —le dijo Jeff después de comer—. Fui a su despacho para despedirme de ella. Me dijo que le gustaría verte. Te esperará en su despacho después de clase por si quieres hablar con ella. Me pidió que te lo dijera.

Bradley cerró los ojos hasta que se le aflojó el nudo de su estómago.

—¿Ni siquiera quieres despedirte de ella? —le preguntó Jeff.

Bradley negó con la cabeza.

Se la imaginó en su despacho esperándolo. Él entraría y ella le diría: «Hola, Bradley. Es un placer verte hoy. Te agradezco que vengas a verme». A lo mejor hasta le volvía a dar un beso.

Cuando al fin tocó la campana, Bradley se fue directamente a su casa. El nudo de su estómago se iba apretando con cada paso que daba.

−¡La odio, la odio, la odio! −iba diciendo.

41

–¡VÁMONOS, Bradley! –le dijo su madre al entrar en su cuarto el sábado por la mañana–. ¡Vamos a una barbería de verdad! –exclamó, como si una barbería fuera el sitio más fascinante del mundo para ir.

Hasta entonces siempre le había cortado ella misma el pelo a su hijo. Pero Bradley le había pedido ir a una barbería «de verdad». Se lo había dicho a principios de semana, cuando habían salido juntos a comprar el regalo de cumpleaños de Colleen.

«Cuando me cortas tú el pelo, me lo dejas igual que una ensaladera», se había quejado.

Ahora levantó la cara y dijo a su madre con expresión triste:

–No quiero cortarme el pelo.

–Quieres estar guapo para la fiesta de Colleen, ¿no? –le preguntó su madre.

–No voy a ir a su fiesta de cumpleaños –la interrumpió con voz seca–. ¡La odio!

La madre de Bradley lo dejó a solas.

Bradley oyó en su interior la voz de Carla que le decía: «Voy a necesitar ayuda el sábado para llevarme todas las cosas de mi despacho. Te estaría muy agradecida si pudieras echarme una mano».

El nudo de su estómago se tensó.

–¡No, te odio! –exclamó en voz alta.

Su padre llamó a la puerta y a continuación entró en su cuarto.

–Bradley, creo que tenemos que hablar de hombre a hombre –le dijo.

Bradley se puso en pie.

–¿Por qué no me cuentas qué te pasa? –dijo su padre–. A lo mejor te puedo ayudar.

Pero Bradley no quería ayuda.

–He sentido mucho que hayan trasladado a tu psicóloga a otro colegio –siguió su padre–. Sé que te llevabas muy bien con ella. Al principio, no me gustó mucho la idea de que te viera una psicóloga, pero...

–Tengo que ir a cortarme el pelo –dijo Bradley–. Me lo ha dicho mamá –explicó mientras salía de la habitación dejando a su padre con la palabra en la boca.

Su madre le llevó en coche hasta la barbería.

Bradley siguió oyendo la voz de Carla dentro de su cabeza: «Después nos podríamos ir a comer juntos. Podríamos ir a un restaurante».

El nudo se tensó más.

«Los dos solos».

Y más.

«Será divertido. Y me serías de gran ayuda».

Y más.

«¿Nos vemos el sábado? Me gustaría mucho».

Y más.

«Tú no eres la Cenicienta y yo no soy el príncipe».

Y más.

«Tú me caes bien, Bradley. Me puedes caer bien aunque yo no te caiga bien a ti, ¿no?».

El nudo se tensó tanto que de repente se rompió.

–¡Para el coche! –gritó Bradley–. ¡Tengo que volver!

El grito sobresaltó a la madre de Bradley, que dio sin querer un volantazo.

–¡No vuelvas a hacer eso nunca más! –le regañó su madre–. ¡Podríamos haber tenido un accidente!

–No creo en los accidentes –contestó Bradley.

–Estoy harta de tus tonterías, Bradley. ¿Se puede saber qué te pasa?

–No puedo cortarme el pelo hoy. Tengo que ir al colegio –contestó.

–¿El sábado?

–Tengo que ver a mi psicóloga. Me está esperando. Llama al colegio si no me crees.

El coche se detuvo en el aparcamiento frente a la barbería.

–Ya hemos llegado –anunció su madre con voz firme–. Vas a cortarte el pelo ahora mismo.

Bradley salió del coche y siguió de mala gana a su madre hasta la barbería.

Un olor aceitoso, como de pelo, grasa y chicle caducado, todo mezclado, flotaba por el local. A su alrededor había espejos que reflejaban espejos. El sitio era feo y los espejos reflejaban la fealdad y la multiplicaban en todas direcciones. También daban la impresión de reflejar el espantoso olor.

Bradley no podía creer que le hubiera pedido a su madre que le llevara a un sitio así. Tenía aspecto de calabozo destinado a torturar niños. Y lo que era aún peor: tenía que esperar su turno para que lo torturaran. Todos los peluqueros estaban ocupados.

Se sentó en un banco rojo roto.

–¿Quieres leer un tebeo? –le preguntó su madre.

–No, gracias –contestó en voz baja.

Por fin llegó su turno. Se encaramó a una butaca de peluquería, resbaladiza y grasienta. El peluquero le ató alrededor del cuello una capa de plástico brillante, que casi le asfixia. Peinó a Bradley. Este se preguntó para qué se molestaba en hacerlo si le iba a cortar el pelo de todas formas.

Por fin, el peluquero cogió las tijeras y se puso a cortar. Pero nunca cortaba un mechón de un tijeretazo, sino que daba muchos cortes al mismo mechón quitando cada vez muy poquito pelo. Y durante todo ese tiempo a Bradley no le quedó más remedio que mirarse fijamente en el espejo empañado. Rechinó los dientes y esperó a que terminara.

El peluquero dejó las tijeras, pero volvió a coger el peine y se puso a peinarle de nuevo.

«Ya decía yo que no tendría que haberme peinado», pensó Bradley. «Ahora tiene que peinarme otra vez».

El peluquero pulverizó una porquería maloliente sobre la cabeza de Bradley, le peinó por última vez y desató la capa que le había anudado tras el cuello.

Bradley se bajó de un salto de la butaca antes de que el peluquero tuviera tiempo de cambiar de parecer.

Pero el peluquero aún no había terminado. Obligó a Bradley a quedarse quieto mientras le pasaba por el cuello un aparato parecido a una pequeña aspiradora. Cuando por fin terminó, le ofreció a Bradley un chicle.

–Odio el chicle –contestó Bradley.

Nunca lo había odiado, pero después de tener que aguantar su olor en la barbería, no quería volver a masticar chicle el resto de su vida.

–Vas a ser el chico más guapo de la fiesta de Colleen –le dijo su madre cuando salieron a la calle.

–Por favor, ¿me puedes llevar al colegio? –pidió a su madre.

Su madre asintió con la cabeza.

Diez minutos más tarde, salió del coche de un brinco, subió las escaleras de la entrada del colegio de dos en dos y tiró de una de las dos hojas de cristal de la puerta. Pero ambas estaban cerradas. Apoyó la cara contra el cristal y miró dentro. La mujer de la limpieza, la señora Kemp, estaba encerando el suelo. Bradley golpeó la puerta con el puño hasta que esta levantó la cara y le vio.

La señora Kemp abrió la puerta con cara de pocos amigos.

–¿Se puede saber qué quieres, Chalkers? –le preguntó.

–Tengo que ver a Car..., a la señorita Davis –explicó a la señora Kemp.

–La señorita Davis ya se ha marchado –le respondió.

Bradley se agachó y pasó por debajo del brazo de la señora Kemp, que sostenía la puerta abierta. Corrió hacia el interior del edificio.

–¡Chalkers! –gritó tras él–. ¡Voy a llamar a la policía!

Abrió la puerta del despacho de Carla y entró. Estaba vacío, solo quedaban la mesa redonda y las sillas. Pero en su cabeza oyó a Carla que le decía: «Hola, Bradley. Es un placer verte hoy. Te agradezco mucho que vengas a verme».

Las lágrimas resbalaron por su rostro.

Vio un sobre grande encima de la mesa. Lo cogió. En letras de gran tamaño ponía BRADLEY CHALKERS. Bajo su nombre, en letra pequeña ponía:

Clase de la señorita Ebbel
Aula 12
Buen amigo
Sincero
Considerado
Cariñoso
Educado
A quien nunca olvidaré
y de quien espero
que un día me perdone.
Último pupitre, última fila

–¡Te encontré! –exclamó la señora Kemp, que le había perseguido–. Si no te marchas de aquí ahora mismo, llamaré a la policía.

–¡Mira! –exclamó Bradley enseñándole el sobre–. Me dejó esto. ¿Lo ves? Somos amigos. Carla y yo somos amigos de verdad.

–Te doy diez segundos para que salgas de este edificio –le amenazó la señora Kemp–. Uno, dos...

Bradley cogió el sobre y salió corriendo.

Lo abrió en el patio, junto a los columpios. Dentro estaba el libro *Mis padres no robaron una elefanta*, de Uriah C. Lasso, y una carta.

Querido Bradley:

Este libro era mi regalo para ti. Era un regalo de corazón, y ese tipo de regalo, para bien o para mal, nunca se puede devolver.

Siento mucho haberte hecho daño, pero no era esa mi intención. No sé si te hará sentirte mejor, pero quiero que sepas que tú también me has hecho daño a mí al no venir a verme el viernes ni el sábado. Me pasé todo el rato esperando que tu cara alegre asomara por la puerta.

Espero que no te haya importado que le diera tu comentario de mi libro a la señorita Ebbel. Era demasiado bueno para tirarlo a la papelera. Eres capaz de hacer trabajos realmente buenos. Solo hace falta que aprendas a no romperlos.

Espero que hayas ido a la fiesta de Colleen. Si fuiste, estoy segura de que te lo pasaste fenomenal. Si no fuiste, tampoco pasa nada. Tendrás otras fiestas. Eres un chico que cae muy bien. Siempre serás para mí una persona muy especial.

Fue siempre un placer estar contigo. Agradezco mucho que hayas ido a verme. Gracias por compartir tantas cosas conmigo.

Te quiere, Carla

El padre de Bradley estaba apoyado en su bastón, en la entrada de la casa, cuando su hijo llegó andando.

–Quiero hablar contigo, Bradley –le dijo con voz seria.

Bradley corrió hacia él, se arrojó en sus brazos, lo abrazó, y casi consiguió tirarle al suelo.

42

BRADLEY INTENTÓ escribirle una carta a Carla. Se lo había sugerido su padre. Cogió la hoja, la arrugó y la tiró a la papelera. No sabía qué decirle. Las palabras que buscaba aún no se habían inventado.

Roni se paseaba dando brincos y canturreando: «Du, di du, di du, di du».

Los demás animales estaban votando.

–Hemos vuelto a votar –le comunicó el león a Roni–. Eres la que mejor nos caes.

–Todos vosotros me caéis los que mejor también –respondió Roni.

Bartolo se acercó a ella:

–Te quiero, Roni –le dijo–. ¿Te quieres casar conmigo?

–Sí –respondió Roni.

–Y además te salvé de las arenas movedizas –dijo Bartolo–; por eso no te has muerto.

–Esa es una buena noticia –dijo Roni–. Me alegra enterarme.

43

COLLEEN, vestida con su traje rojo nuevo, esperaba ansiosa a que llegaran sus invitados. Exceptuando a Lori y a Melinda, no había contado a nadie que iban a ir chicos a su fiesta.

Sonó el timbre.

Le dio un vuelco el corazón. Por un lado deseaba que fuera Jeff; por otro, deseaba que no fuera. Se tranquilizó y abrió la puerta.

Eran Judy y Betty. Le entregaron sendos regalos.

–¡Oh! ¿Qué es? –preguntó Colleen al coger cada paquete, pero, evidentemente, ellas no se lo dijeron.

–¿Quién más viene? –preguntó Judy cuando las tres estaban sentadas esperando en el salón.

Colleen enumeró a los invitados mientras los iba contando con los dedos.

–Pues, vosotras dos, y Lori y Melinda, y Karen, Amie y Dena... –Colleen hizo una pausa y luego dijo los dos nombres siguientes muy deprisa–, y Jeff y Bradley.

–¿Bradley? –preguntó con asombro Betty–. ¿Bradley Chalkers? ¡Oh, no!

Judy parecía que se iba a desmayar en cualquier momento.

–No nos contaste que habías invitado chicos a tu fiesta –dijo Betty.

–¿No os lo dije? –contestó Colleen con voz inocente–. Pensaba que sí.

–No sé si me dejan ir a fiestas con chicos –dijo Judy.

–Vale, pero ya me has dado tu regalo –contestó Colleen.

Las niñas decidieron que se quedaban. Cuando sonó de nuevo el timbre, las tres niñas pegaron un grito, pero eran solo Amie y Dena.

Amie y Dena iban vestidas exactamente igual, llevaban hasta los mismos calcetines y zapatos. Amie era la mejor amiga de Dena, y Dena era la mejor amiga de Amie. Sus padres a menudo las llevaban juntas de compras. Siempre se compraban lo mismo. Y antes de ir a una fiesta, o incluso a veces antes de ir al colegio, se llamaban y decidían qué se ponían. Para la fiesta de Colleen se habían puesto un vestido azul con un dibujo de flores azules y blancas.

–¡Colleen ha invitado a chicos! –les comunicó Betty.

–¡A Bradley Chalkers! –precisó Judy.

Amie y Dena se miraron con cara de horror. Colleen cogió sus regalos antes de que se arrepintieran. Ambos regalos estaban envueltos con el mismo papel morado y verde.

La siguiente en llegar fue Karen.

–¡Colleen ha invitado a chicos! –dijeron todas a coro nada más entrar Karen por la puerta.

Karen se quedó boquiabierta.

–¡Viene Bradley Chalkers! –dijo Betty.

–Y el niño nuevo, Jeff Fisiquín.

Karen era muy tímida y callada. Habiendo chicos, era muy probable que no abriera la boca en toda la fiesta.

Sonó el timbre. Todas gritaron, salvo Karen. Esta se había tapado la cara con un cojín.

Eran Lori y Melinda.

–¡Colleen ha invitado a chicos! –comunicaron todas a las recién llegadas.

–Jeff Fisiquín y ¡Bradley Chalkers! –especificó Dena.

–¿Y qué? Ya lo sabíamos –contestó Lori, como si fuera lo más normal del mundo.

–Pues nadie más lo sabía –dijo Judy.

Las ocho niñas esperaron. Hablaron y se rieron de cuánto le gustarían a Colleen sus regalos. Le preguntaron qué había de merienda y a qué juegos iban a jugar. De lo único de lo que no hablaron fue de chicos, aunque era lo único en lo que estaban pensando todas todo el tiempo.

Cuando Colleen le dijo a Dena que iban a hacer una carrera por parejas con las piernas atadas, se hizo el silencio. Todas las niñas se preguntaron si tendrían de pareja a un chico.

Colleen quería que su pareja fuera Jeff. No se le había ocurrido que si ella corría con Jeff otra niña tendría que correr con Bradley.

Empezaba a hacerse tarde. Poco a poco, las niñas comenzaron a tener una nueva preocupación: ¿y si los chicos no aparecían? De repente tuvieron la sensación de que la fiesta no sería nada divertida si no venían los chicos. ¿Dónde estarían?

La madre de Colleen entró en el salón y contó cuántos eran.

–Ocho –dijo en voz alta–. ¿Quién falta?

Nadie contestó.

–¡Ah, los chicos! –exclamó la madre de Colleen–. Bueno, no podemos esperar mucho más.

Parecía que Colleen se iba a echar a llorar.

¿Dónde se habrían metido?

44

Sonó el timbre de la casa de Bradley.

Bradley, con un gorrito de fiesta en forma de cono en la cabeza, corrió a la puerta principal y la abrió con ímpetu. Su mirada tenía una expresión salvaje.

–Hola –saludó Jeff, que llevaba el regalo de Colleen bajo el brazo–. ¿Estás listo?

Jeff iba vestido con ropa informal y cómoda. Sus vaqueros tenían un pequeño agujero encima de la rodilla.

–¡Está envuelto! –exclamó Bradley–. ¡Tiene un lazo!

–¿Qué di...? –se sorprendió Jeff.

Bradley corrió hacia la habitación de sus padres.

–Hay que envolverlo –le dijo a su madre–. Y ponerle un lazo.

La señora Chalkers cortó un trozo de cinta adhesiva y sonrió a su hijo.

–Lo estoy envolviendo en este mismo instante.

–¡Vale, bien! –dijo y volvió a la puerta principal–. Mi madre lo está envolviendo –le dijo a Jeff.

Bradley llevaba toda la mañana corriendo de un lado a otro de la casa mientras intentaba desesperadamente prepararse para la fiesta de cumpleaños. Se había cambiado de ropa ya seis veces. No sabía qué tenía que ponerse. No sabía qué tenía que hacer. No sabía qué tenía que saber.

Claudia le había dado el gorrito de fiesta para que se lo pusiera. Le dijo que no le estaba permitido quitárselo.

–Me envolvieron el regalo en la tienda cuando lo compré –le dijo Jeff.

Bradley apenas lo oyó.

–¿Hay que ponerse pantalones rotos? –preguntó.

–¿Qué?

Bradley corrió hacia la cocina. Cogió un cuchillo afilado del cajón junto a la pila y le hizo un corte al pantalón justo encima de la rodilla.

Cuando regresó a la puerta principal, Jeff había entrado en su casa. Claudia estaba con él.

–¿Tengo el gorro derecho? –preguntó Bradley a su hermana.

Su hermana le miró de arriba abajo.

–Es difícil de saber –le explicó– porque tienes la cabeza torcida.

La señora Chalkers llegó por el pasillo mostrando el regalo de Colleen.

–¿Ves? Ya está envuelto –le dijo–. Hola, tú debes de ser Jeff. Yo soy la madre de Bradley.

–Hola, señora Chalkers –saludó Jeff.

–¡No lleva lazo! –gritó Bradley.

–Ah, no. No he encontrado ninguna cinta –respondió su madre.

Bradley la miró con incredulidad.

–¡Tiene que tener un lazo! –se lamentó. Se dio la vuelta y preguntó a Jeff–: ¿Tiene que llevar lazo?

–No.

–Bueno, vale –dijo contento.

Bradley cogió el regalo de manos de su madre. Ella le dio un beso y le dijo que se divirtiera.

Jeff y Bradley se dirigieron hacia la puerta.

–¡Oh, Bradley! –exclamó su madre–. ¡Te has roto los pantalones!

–Ya lo sé –respondió Bradley. Y cerró la puerta.

Los dos amigos se fueron andando por la acera hacia la casa de Colleen. Vivía a dos manzanas.

–¿Quieres mi lazo? –le preguntó Jeff a Bradley–. Lo puedo quitar.

Bradley lo rehusó moviendo nerviosamente la cabeza de lado a lado.

–¿Estás bien? –le preguntó Jeff.

–*E oi en* –dijo Bradley.

Había intentado pronunciar «estoy bien», pero no le funcionaba bien la boca.

–Estás raro –le dijo Jeff–. Más raro de lo normal, quiero decir.

Bradley suspiró y se detuvo.

–¿Qué te pasa? –le preguntó Jeff.

Bradley estaba temblando. Se sentía igual que la primera vez que intentó entregar los deberes.

–No sé qué hay que hacer en una fiesta de cumpleaños –confesó.

Jeff se rio.

Bradley se sentó en el bordillo.

–Llevo tres años sin ir a una fiesta –dijo.

Jeff miró con impaciencia calle arriba y luego se sentó junto a su mejor amigo.

–No te preocupes –le tranquilizó–. Las fiestas de cumpleaños son muy divertidas.

–¿A cuántas has ido? –le preguntó Bradley.

–A muchas –contestó Jeff encogiéndose de hombros–. ¿Qué quieres saber?

–Todo.

–Vale –contestó Jeff–. ¡Empieza por quitarte ese gorrito ridículo!

Así que, mientras las ocho niñas esperaban con ansia, Jeff intentó enseñarle con paciencia a Bradley todo lo que sabía de fiestas.

45

Bradley observó cómo Jeff llamaba al timbre y oyó cómo sonaba en el interior de la casa. Luego oyó un grito. Un instante después, Colleen abrió la puerta.

–Cumpleaños fel... –empezó a cantar, pero se calló enseguida al sentir que el codo de Jeff se clavaba en sus costillas.

–Esto es para ti –dijo Jeff, entregando a Colleen su regalo.

–Esto es para ti –dijo Bradley haciendo lo mismo.

–¡Oh! ¿Qué es? –preguntó Colleen.

–Es un... –empezó a contarle Bradley, pero Jeff volvió a darle un codazo y se calló.

Siguieron a Colleen por la casa.

–No hay que decir nunca lo que has comprado –dijo Jeff a Bradley en voz baja.

–Pero me lo ha preguntado.

–Ella lo tiene que preguntar. Pero tú no se lo tienes que decir. No se lo tienes que decir a nadie.

Bradley asintió, como si lo hubiera comprendido, pero claro, no comprendía nada.

—Hola, Bradley —dijo Melinda.

Bradley miró a Jeff pidiéndole socorro.

—Hola, Melinda —contestó Jeff.

—Hola, Melinda —dijo Bradley.

En ese momento llegó la madre de Colleen y todos salieron tras ella al patio trasero. Allí habían preparado una mesa con platos y vasos de cartón. Bradley eligió una silla y se sentó.

—¡Uy! ¡Qué hambre debe de tener este chico! —exclamó la madre de Colleen.

Las chicas se rieron.

Bradley miró a su alrededor con sorpresa. Era el único que estaba sentado. Se puso rápidamente de pie, empujando sin querer la mesa. Un vaso de cartón cayó al suelo. Al agacharse para recogerlo, Bradley tiró la silla.

Las niñas estaban desternillándose de risa. Bradley miró a su alrededor pidiendo auxilio. Amie recogió el vaso y Dena enderezó la silla.

—La merienda es más tarde —le explicó Jeff cuando Bradley logró alejarse sano y salvo de la mesa—. Primero hay juegos.

Bradley palideció.

—Haz lo que haga yo —dijo Jeff.

Un perro inmenso se escapó por la puerta trasera y saltó sobre Bradley, poniendo sus patas llenas de barro en la camisa limpia del chico. Estuvo a punto de tirarle al suelo.

—¡Pollito, baja! —regañó la madre de Colleen a su perro.

Pollito tenía pelo rojo de alambre y cara cuadrada. No volvió a subirse encima de Bradley, pero no se separó de su lado.

–Pollito suele tener miedo de todo el mundo –dijo Colleen.

Bradley acarició la cabeza de Pollito, contento de caerle bien.

La señora Verigold dividió a los niños en dos equipos para hacer una carrera de relevos. Puso a Jeff y a Bradley en equipos distintos porque dijo que no sería justo que los dos estuvieran en el mismo.

Bradley se puso en la fila de los de su equipo. Estaba en el medio. Delante de él se encontraban Amie y Betty; detrás, Judy y Dena.

Jeff, en el otro equipo, estaba hablando con Colleen.

Bradley se preguntó si él tendría que hablar con una niña de su equipo, pero no se le ocurría qué decir. Además, estaban todas hablando entre ellas. Acarició a Pollito.

–Preparados –dijo la señora Verigold–, listos, ¡ya!

De repente la carrera había empezado y todas las de su equipo estaban chillando.

–¡Vamos, Amie! ¡Corre! ¡Más deprisa!

Observó cómo Amie corría, tocaba un árbol al fondo del patio, daba media vuelta y volvía. Al llegar, tocó con su mano la palma extendida de Betty y esta empezó a correr hacia el árbol.

–¡Corre, Betty! –gritaron todos los demás miembros del equipo, salvo Bradley.

–Más despacio –dijo Bradley en voz muy baja, deseando que nunca le llegara su turno.

Se dio media vuelta. Judy estaba detrás de él animando a Betty.

–¿Quieres ir tú ahora? –le preguntó.

–¡Saca la mano! –chilló Judy.

Bradley se dio la vuelta y extendió el brazo justo a tiempo. En cuanto Betty le dio una palmada en la mano, empezó a correr. Corrió con todas sus fuerzas hasta el árbol.

–¡Vamos, Bradley! –le gritó alguien.

A Bradley le entraron ganas de correr más rápido de lo que había corrido en toda su vida. Pollito corría a su lado ladrando.

Melinda estaba corriendo por parte del equipo rival. Aunque había salido antes que él, Bradley logró pasarla y llegar al árbol primero. Estuvo a punto de resbalar y caerse, pero logró equilibrarse y se lanzó de vuelta hacia donde estaba su equipo animándolo con entusiasmo.

–¡Vamos, Bradley! –le gritaban todas.

Tocó la mano de Judy y luego se dobló hacia delante intentando recobrar el aliento. Pero enseguida se dio la vuelta y se puso a gritar a voz en grito:

–¡Corre, Judy, corre! –y luego–: ¡Vamos, Dena!

Dena cruzó la línea de llegada y todo el equipo se puso a dar saltos de alegría.

–¿Qué pasa? –preguntó Bradley.

–¡Que hemos ganado! –contestó Betty.

Bradley también dio saltos de alegría.

–Nos dan a cada uno dos puntos –dijo Judy.

Lo de los puntos era nuevo para Bradley. Jeff no se lo había explicado.

–A cada niño del equipo ganador le dan dos puntos, y a cada niño del equipo perdedor le dan un punto –explicó Judy.

–Es lo mismo que si a los que ganan les dan un punto y a los que pierden ninguno –le interrumpió Betty–. Pero así los que pierden se desaniman menos.

–¡Se lo estoy explicando yo! –interrumpió a su vez Judy–. Después de cada carrera, se cambia el equipo y, cuando terminan todas, la madre de Colleen cuenta los puntos de cada niña. La niña con más puntos elige primero su regalo de la cesta de los premios. La que ha quedado segunda elige después, y luego la tercera, y así hasta la última.

–La madre de Colleen tiene una cartulina con todos los nombres para ir poniendo los puntos –explicó Betty.

–¡Se lo estoy explicando yo! –se indignó Judy–. La madre de Colleen apunta en un cuadro los puntos de cada uno.

Bradley se rio, feliz.

–¿Todas las fiestas son tan divertidas? –preguntó.

Judy y Betty se miraron. Lo que hacía que esta fiesta fuera especial era que hubiera chicos. Pero eso no se lo podían decir.

–¿No has ido nunca a una fiesta de cumpleaños? –le preguntó Betty.

–Llevo años sin ir a ninguna. De la última que fui me echaron...

–Bueno, pues si quieres saber algo, pregúntamelo a mí –se ofreció Betty.

–O a mí –se ofreció también Judy.

–Yo he ido a más fiestas de cumpleaños que tú –dijo Betty.

–¡Qué va! –exclamó Judy–. Eso no es verdad.

–¿Y la fiesta de Holly? –le recordó Betty–. Tú no fuiste.

–Porque nos habíamos ido de vacaciones –se justificó Judy.

–Por lo que sea, pero no fuiste –insistió Betty.

Para la siguiente carrera de relevos se volvieron a hacer equipos. Esta vez a Bradley le tocó con Betty, Amie, Karen y Melinda. Era una carrera a la pata coja.

–¡A la pata coja! –exclamó Bradley.

Durante la carrera, animó con entusiasmo a su equipo y ellas también le jalearon a él. Su equipo se alzó de nuevo con la victoria.

–¡Qué bien saltas a la pata coja, Melinda! –la felicitó Bradley al acabar la carrera–. Haces el doble de distancia que Colleen en cada salto.

Melinda sonrió satisfecha.

–Tú también saltas muy bien –le dijo.

La madre de Colleen anotó en el cuadro los puntos de cada niño y volvieron a hacer equipos para la siguiente carrera. Esta vez tenían que saltar con los pies juntos.

–¡Con los pies juntos! –exclamó Bradley.

Para cada carrera, la madre de Colleen siguió cambiando los equipos. A Bradley y a Jeff nunca les tocaba en el mismo, y como Colleen siempre se las arreglaba para estar con Jeff, a Bradley nunca le tocó con ella.

Bradley se alegraba de ello. Se sentía cómodo con todas las demás, pero Colleen le seguía asustando un poco. Le preocupaba que le hiciera otra pregunta de esas que no se debían contestar.

Le tocó en el mismo equipo que Lori en la carrera en la que había que correr hacia atrás. La niña se puso justo detrás de él en la fila de salida y no dejó de chillar en su oído ni un instante. A Bradley le encantó. Tenía que gritar el doble de fuerte para oírse a sí mismo.

Aún le pitaba el oído cuando la señora Verigold anunció que la siguiente carrera era de volteretas.

La sonrisa se borró de su rostro. No sabía dar volteretas. Miró con angustia a Pollito.

Pero resultó que nadie de su equipo sabía dar volteretas. ¡Era desternillante! Todo el mundo estaba muerto de risa. Cuando le tocó su turno, rodó y cayó en todas las direcciones salvo en la que debía rodar. Y cada vez que apoyaba la cabeza en el suelo, Pollito intentaba lamerle la cara. Posiblemente le habrían salido mejor las volteretas si hubiera dejado de reírse.

Todos los que estaban en el otro equipo sabían dar volteretas. Fue una verdadera casualidad. Y la mejor era Karen.

–¡Tendrías que presentarte a las Olimpiadas! –le dijo Bradley al acabar la carrera.

Karen sonrió y se puso colorada.

El chico sonrió también. Aunque su equipo había perdido, había sido la carrera más divertida de todas.

46

La madre de Colleen les dijo que eligieran pareja para la carrera siguiente. La correrían con la pierna izquierda de uno atada a la pierna derecha del otro. Jeff y Colleen se miraron nerviosos.

Judy y Betty se pusieron juntas. Se pasaron el brazo por los hombros mientras la señora Verigold les ataba las piernas.

Lori se puso con Melinda. Bradley pensó que hacían una pareja muy rara, ya que Melinda casi doblaba en tamaño a su compañera.

Amie y Dena tenían un aspecto aún más extraño: al ir vestidas iguales, parecían un monstruo de dos cabezas. Pero, claro, él no creía en los monstruos.

Karen de repente se dio cuenta de lo que estaba ocurriendo: si Colleen se ponía con Jeff, ella tendría que ponerse con Bradley.

–Esto... –se dirigió indeciso Jeff a Colleen–. ¿Quién es tu pareja?

–Nadie todavía –contestó Colleen–. ¿Y la tuya?

–Nadie todavía.

La madre de Colleen se metió por medio y organizó las parejas de los dos últimos equipos. Como a los dos chicos no les había tocado nunca juntos, puso a Bradley con Jeff, y a Colleen con Karen.

A Bradley le hizo ilusión estar finalmente con Jeff. Colleen y Jeff también estaban satisfechos con sus parejas. Aunque se gustaban, no se sentían preparados para pasarse el brazo por el hombro ni que les atasen las piernas juntas. La única que se llevó un chasco fue Karen: le había parecido divertido que Bradley hubiera sido su pareja.

Los cinco equipos se alinearon en la salida. No era una carrera de relevos; todos los equipos tomarían la salida al mismo tiempo. Tenían que pasar el árbol, llegar hasta la valla y volver.

–No intentes correr muy deprisa –le advirtió Jeff a Bradley–. Lo más importante es que movamos las piernas a la vez para que no nos caigamos.

Bradley asintió.

–Preparados, listos, ¡ya! –gritó la señora Verigold.

Bradley y Jeff dieron dos pasos y se cayeron.

Cada vez que intentaban ponerse en pie, se apoyaban el uno en el otro y se volvían a caer. Finalmente, se levantaron y reemprendieron la carrera.

–Derecha, izquierda, derecha, izquierda –marcaba Jeff el paso, para que movieran las piernas al unísono.

Los demás equipos tardaron mucho en dar la vuelta en la valla. Cuando llegaron hasta allí, Jeff y Bradley se tiraron al suelo y se levantaron apuntando en dirección opuesta. Así lograron dar media vuelta mucho más rápido que las demás.

Amie y Dena iban justo delante de ellos. Amie intentó pasar el árbol por la izquierda y Dena intentó pasarlo por la derecha. Se lo tragaron.

—Derecha, izquierda, derecha, izquierda —siguió marcando el paso Jeff al girar para adelantarlas.

Karen y Colleen iban en cabeza cuando de repente tropezaron y se dieron de bruces. Judy y Betty cayeron sobre ellas.

Lori y Melinda tuvieron que parar para no tragarse el montón de niñas caídas.

Jeff y Bradley las adelantaron y se pusieron los primeros.

—Derecha, izquierda, derecha, izquierda —siguió marcando el paso Jeff, aunque en algún momento debieron de equivocarse porque cuando Jeff decía «derecha» adelantaban la pierna izquierda, y cuando cantaba «izquierda», adelantaban la pierna derecha.

—¡Eh, Bradley, no es por allí! —le gritó Lori.

—¿Qué? ¡Ahh! ¡Uff!

Amie y Dena cruzaron la meta las primeras; Lori y Melinda iban pisándoles los talones. Jeff y Bradley llegaron a la meta arrastrándose en tercer lugar. Judy, Betty, Karen y Colleen seguían tiradas en la hierba hechas un lío.

Cuando finalmente todos consiguieron desatarse las piernas, se reunieron en el césped junto al patio.

—¿Y ahora qué hacemos? —preguntó Bradley a nadie en particular.

–La madre de Colleen está sumando los puntos –contestó Betty.

–Y luego recogeremos nuestros premios –añadió Judy.

–Me lo ha preguntado a mí –se indignó Betty.

–¡Chist! –les mandaron callar todos cuando la madre de Colleen salió a leer la clasificación.

–El ganador es... –la señora Verigold hizo una pausa para crear expectación–. ¡Bradley!

Bradley se quedó pasmado. Era cierto que había formado parte del equipo ganador siempre salvo en la carrera de piernas atadas y la carrera de volteretas, pero se lo había estado pasando tan bien que no se había dado cuenta.

Bradley se adelantó para recibir su premio entre aplausos. La señora Verigold le entregó una cinta azul en la que ponía «primer premio». Nadie le había dicho nada de la cinta. Luego le dijeron que eligiera un premio.

Miró con detenimiento la cesta de los premios. Había un montón de cosas para elegir: muñecas, maquillaje, colonia, pendientes, gomas de pelo. Bradley eligió una armónica.

Melinda quedó segunda. Luego, quedaron clasificadas Amie, Judy, Dena, Karen, Lori, Betty y, en último lugar, Jeff.

Jeff sabía que iba a quedar último, porque nunca había estado en el mismo equipo que Bradley. La única carrera que había ganado era la de volteretas. De hecho, había quedado empatado en último lugar con

Colleen, pero a ella no le correspondía elegir regalo, puesto que abriría los que habían traído sus amigos más tarde.

Jeff cogió el último regalo de la cesta: un traje de muñeca.

—Muchas gracias —dijo educadamente.

—¿Y ahora qué hacemos? —volvió a preguntar Bradley.

—Merendar helado y tarta —le explicó Melinda.

—¡Bien! —exclamó Bradley.

Melinda se rio.

Los niños se sentaron a la mesa. Colleen se colocó en la cabecera. Bradley se sentó entre Jeff y Melinda. Enfrente estaban Judy y Betty.

—Ahora la madre de Colleen va a traer la tarta —le dijo Judy.

—Una tarta con velas —añadió Betty.

En cuanto la señora Verigold apareció con la tarta, todos se pusieron a cantar. A Bradley le pilló por sorpresa. No tuvo tiempo de intentar acordarse de la letra de la canción, aunque lo intentó. Cantó:

> *Cumpleaños Col... feliz,*
> *cumpleaños feliz,*
> *cumple... Te deseamos todos,*
> *cumpleaños feliz,*
> *cumpleaños feliz...*

De repente se dio cuenta de que era el único que seguía cantando.

Todos los demás se rieron.

–No es su culpa –le defendió Judy–. Es el primer cumpleaños al que va en mucho tiempo.

–La tarta tiene diez velas porque cumple diez años –le explicó Betty.

–¡Eso lo había pillado! –se rio Bradley.

Lori se rio también.

Colleen apagó todas las velas de un soplo.

–Eso significa que sus deseos se van a cumplir –le explicó Melinda.

–Pero no te puede contar sus deseos porque entonces no se hacen realidad –le explicó Lori.

Bradley se comió su helado y su tarta con mucho cuidado para no ensuciar nada. Luego, todos pasaron al salón y Colleen abrió los regalos.

–¡Abre primero el mío!

–¡No, el mío!

–¡Ese es el mío!

–¡Abre el mío, Colleen! –dijo Bradley.

A medida que Colleen iba abriendo los regalos, todos exclamaban:

–¡Qué bonito! ¡Cómo me gustaría a mí tener uno!

Bradley también lo decía, y además de corazón, aunque la mayoría de los regalos eran cosas que jamás hubiera querido tener.

Colleen cogió otro regalo.

–¡Ese es el mío! –gritó Bradley.

Colleen leyó la tarjeta. En la portada había un dibujo de un jugador de béisbol con el bate levantado listo para golpear la bola. Y ponía: «Espero que tu cumpleaños sea...». Al abrir la tarjeta se veía al jugador golpeando la bola y ponía: «... un éxito». Debajo ponía: «Feliz cumpleaños», y firmaba: «Besos. Bradley».

Todas las chicas se pusieron como locas.

–¡Besos! –exclamó Amie–. ¿Besos?

A Bradley se le cayó el alma a los pies al darse cuenta de que había cometido un error terrible.

–¡Bradley está enamorado de Colleen! –exclamó Dena.

–¡Ohhh, Bradley! –exclamó Judy.

–¿Cuándo es la boda? –le tomó el pelo Lori.

–¡Os queréis callar! –gritó Karen.

Todas dejaron de hablar y la miraron sorprendidas.

–¡Sois unas niñitas! –reprochó a sus amigas.

Colleen quitó el papel del regalo y abrió la caja. Se quedó boquiabierta. Enseñó el regalo a todas.

–¡Vaya! –exclamó Lori.

–¡Déjame verlo! –pidió Amie.

Era la maqueta de un corazón, cuyas piezas se podían desmontar y volver a montar: los vasos sanguíneos, la aorta, los capilares... Además, las válvulas se abrían y se cerraban.

–¡Qué bonito! –dijo Melinda.

–¡Cómo me gustaría tener uno! –dijo Betty.

Bradley sonrió con orgullo. Estaba más satisfecho de haber acertado con el regalo de Colleen que de haber quedado primero. Y eso que siempre había sabido que iba a acertar. Carla le había dicho que hiciera un regalo de corazón.

Colleen acabó de abrir los regalos y luego todos se marcharon a sus casas.

Jeff y Bradley salieron juntos. Aún era de día, aunque las farolas de la calle ya estaban encendidas.

–¿Qué tal? –le preguntó Jeff a Bradley.

–¡Muy divertido! –exclamó Bradley–. ¡Me lo he pasado genial! Al principio, cuando Colleen me ha preguntado qué era el regalo, he estado a punto de decírselo y luego, cuando me he sentado a la mesa, la madre de Colleen ha dicho: «Qué hambre debe de tener este niño», pero luego han empezado las carreras y nos han puesto puntos a todos, incluso a los perdedores. Solo que para la próxima vez no pondré «besos». Te has fijado qué bien da volteretas Karen. Mira que ponerle Pollito a un perro. A lo mejor se compran un pollito y lo llaman Perro.

Luego, Bradley se puso a tocar la armónica.

El traje de muñeca colgaba de la mano de Jeff.

47

Querida Carla:

Hola. ¿De qué color es la blusa que llevas puesta hoy? Siento mucho haberte gritado. ¿A que no sabes qué? Me han puesto un sobresaliente en el control de mates. ¡A que es increíble! Y además no lo he roto. Me habría gustado mandártelo, pero no puedo porque lo han puesto en el corcho de la clase de la señorita Ebbel. ¿Te gusta dar clase en infantil? Estoy seguro de que eres una profe buenísima. Di a los niños que te hagan dibujos. También deberías enseñarles a dar volteretas. Gracias por haberme devuelto el libro que me habías dado. Yo también te mando un regalo. Es un regalo de corazón, así que no me lo puedes devolver.

~~Besos,~~
~~Un saludo,~~
Besos,
Bradley

P. D. Se llama Roni.

Bradley dobló la carta y la metió en un sobre. Escribió en la parte anterior del sobre el nombre de Carla y la dirección del colegio Willow Bend.

Roni se abrazó a Bartolo y le dio un beso.

–Bueno, adiós a todos –se despidió.

–Adiós, Roni –le contestaron los demás.

–Te voy a echar de menos –le dijo Bartolo.

Bradley metió la conejita con la oreja rota en el sobre.

Tras mirar por la ventana un momento, observó el bulto del sobre. Frunció el ceño. Pero lo frunció de una forma muy extraña. De hecho, su gesto bien podría haber sido una sonrisa.

TE CUENTO QUE PUÑO...

... dibuja desde que era pequeño, lo que le sirvió, entre otras cosas, para llevarse bien con sus compañeros de colegio. Eso sí, a costa de dibujar invitaciones de cumpleaños, carteles para fiestas de fin de curso, caricaturas de profesores, retratos para las elecciones a delegado e ilustraciones para decorar una infinidad de carpetas. Hoy día es profesor, y todavía, muchos años después de haber pasado su etapa de estudiante, Puño sigue haciendo caricaturas de sus alumnos, retratos para anuarios y dibujos en todo tipo de cuadernos y carpetas. Y, al igual que cuando era pequeño, siempre lo hace con la mayor de las satisfacciones.

Puño vive en Ámsterdam y tiene bigote, dos gatas y una bicicleta de carreras negra y amarilla. Se gana la vida dibujando, escribiendo y enseñando a niños y mayores a dibujar y a desarrollar su creatividad. Lo que más le gusta es comer pizza y hacer fotografías por la calle cuando no llueve.

TE CUENTO QUE LOUIS SACHAR...

... siempre reserva un lugar especial para aquellas personas y lugares que han pasado por su vida. Por eso dedica sus libros a sus familiares y amigos, y por eso el colegio de Bradley se llama Red Hill, como el Red Hill de Tustin (California), en el que Sachar estudió de 4.º a 6.º grado. Escribe todas las mañanas, y no pierde la concentración a menos que algún vecino madrugue para cortar el césped del jardín. Reconoce que sus historias surgen de pequeñas coincidencias: hace algún tiempo, el mismo día en que conoció a una psicóloga infantil llamada Carla, un amigo le habló de un chico de 5.º grado junto al que nadie quería sentarse.

Louis Sachar recibió el Premio Nacional de Literatura Juvenil en 1976, y la Newbery Medal, el máximo galardón de literatura infantil y juvenil de los Estados Unidos. Su libro *Hoyos* fue llevado al cine, y SM ha traducido varias de sus obras.

Si te ha gustado este libro, visita

LITERATURA**SM**•COM

Allí encontrarás:

- Un montón de libros.
- Juegos, descargables y vídeos.
- Concursos, sorteos y propuestas de eventos.

¡Y mucho más!

 ## Para padres y profesores

- Noticias de actualidad, redes sociales y suscripción al boletín.
- Propuestas de animación a la lectura.
- Fichas de recursos didácticos y actividades.